JN075765

医師が開発した

聞いたら忘れない勉強法

「読む」「書く」より
「聞く」が最速！

医師 黒澤孟司 著
京都精華大学教授・音響心理学者 小松正史 監修

フォレスト出版

記憶のメカニズムを聴覚で促進する画期的な勉強法――監修者

もしかすると、この本があなたの勉強法や人生を変えるかもしれません。聴覚をセンターピンにした勉強法は、今までなかったからです。

「人間は見た目が9割」という言葉があるように、私たちは視覚を中心に物事を判断しています。

そして、目で文字を追い、視覚情報として脳内に記憶しています。

この記憶のプロセスにおいて、聴覚を意識している人はどのくらいいるでしょうか。私の印象でしかありませんが、ほとんどの人は聴覚を生かすことなく、眠らせたままにしているのではないかと感じます。これは、非常にもったいないことです。

聴覚は視覚を補うどころか、視覚の能力を凌駕(りょうが)する可能性を秘めています。

音の刺激は時間処理に長(た)け、物事を想起する力が強いため、脳を活性化させます。

したがって、物事を記憶するとき、聴覚を効果的に使うと記憶が保持されやすくなります。

つまり、目で記憶する方法に「耳」を加えることで、効果的な勉強法を獲得できるのです。

本書では、聴覚を使った画期的で斬新な勉強法――速聴勉強法――を解説しています。

ボイスレコーダーやスマホの音声アプリを使って、記憶したい情報を自分の声で録音し、3倍速で聞き取る方法です。

記憶のメカニズムである「記銘（情報を覚えること）」「保持」「想起」のサイクルが、聴覚で促進されるのです。

まず、覚えたい内容を視覚的にまとめ、その内容を自分の声でレコーディングします。自らの声帯を震わせて発声することで、理解した情報を脳に「記銘」させやすくします。

視覚に加え、聴覚や身体の運動機能を鍛えると、記憶しやすい身体に変わっていきます。

続いて、レコーディングされた声を最大3倍速で聞きます。

そのとき、脳の中で聴覚刺激が視覚記憶を引き出すため、記銘された情報が、強固に「保持」されるのです。

本書の勉強法では、1つの音声ファイルに90～120秒の制約を課しているので、短時間で何度も反復できます。記銘を繰り返し行うことで、短期記憶が長期記憶に定着し、脳内に保持されやすくなるのです。

3倍速で聞くことの効果はさらにあります。

集中力と注意力に磨きがかかるのです。

聴覚刺激は視覚刺激よりも速い反応速度で、脳に知覚されます。さらに時間制限を設けることで脳に大きな負荷がかかり、集中力を高めるきっかけとなるのです。

また、聴覚は、視覚よりも無自覚に取り入れる情報を（自動的に）処理しています。聴覚を意識することで、ふだんはスルーされがちな「情報を取り入れる順番」の重要性に気づき、何をどのように覚えるかを、脳が意識的に選択しはじめるのです。

つまり、聴覚刺激は記憶を効果的に「想起」することにも役立つのです。

こうした注意力を補う力が聴覚にはあるのです。

本書の著者・黒澤孟司先生は現役の医師です。ご自身の受験や医師国家試験、そして日々の研究活動などをとおして、本書の速聴勉強法を開発、実践しています。

オリジナリティの高さゆえに、この勉強法を採用している人は、現時点では少数だと思います。しかし、実際に本書の解説どおりに聴覚を意識して勉強すれば、それが記憶のメカニズムを促進する合理的な方法であることに気づくでしょう。

あなたも、この革新的な「聴覚的勉強法」を獲得して、目の前の課題や難局を〝ラクラク〟乗り越えられることを願っています。

京都精華大学教授・音響心理学者・博士(工学)、監修者　小松 正史

まえがき
実害ゼロの治験にのぞむつもりで

本書では、なかなか結果を出せずに悩んでいる社会人や学生に向けて、まったく新しい勉強法――速聴勉強法を提案します。

これは、私が医学部受験、医師国家試験を乗り越えるために開発し、現在も実践している勉強法です。

持たざる者の勉強法

私は現在、専門医として病院に勤務しています。

しかし、医学部に合格するまでは、正確にいえば速聴勉強法に取り組むまでは、辛酸をなめ続けました。

高校生時代、英語の成績は常にトップクラスでした。一方、数学の偏差値が40と極端に低かったために、医学部受験は失敗の連続、多浪していたのです。そんな地獄のような環境の中で、**速聴勉強法を取り入れたことにより一気に偏差値が75までアップ、国立大学医学部、医師国家試験合格を経て、現在に至ります。**

浪人生時代は、つねに生まれ持った才能、さらに経済格差と、それによって生まれているであろうエリートたちとの教育格差に不満を持っていました。

SAPIX（サピックス）（超難関校向けの中学受験塾）や鉄緑会（てつりょくかい）（東大や難関大医学部合格を絶対目標とした大学受験塾。中学1年生から大学受験対策をはじめる。有名中高一貫校に通う生徒は無試験で入塾できるが、それ以外の生徒は学力がないと入塾できない）に通った同級生ばかりが、現役で難関校や難関大学医学部に合格します。高度な教育をお金で買い、それを独占し、持たざる者との差をさらに広げ、成績をどんどん上げていく……。

そんな特権的な上昇スパイラルに乗るかれらを恨めしく見ながら、

まえがき
実害ゼロの治験にのぞむつもりで

一体どんな勉強をしているのだろう、何を隠し持っているのだろうと、ずっと歯痒(はがゆ)く感じたものです。

そして苦節数年、大きく回り道をしたものの、本書で解説する速聴勉強法を駆使して、ようやく国立大学医学部合格を手にし、彼らがいる側に自分も立つことができるようになりました。

ただし、私の勉強法は、間違いなくＳＡＰＩＸや鉄緑会のそれとは、似ても似つかないものでしょう。まったく別の方法、ルートを使ったのです。

かれらの教育が、経済力がなければ手に入れられないものであるならば、私は過去の自分のような持たざる者たちに向けて、すべてをさらけ出したいと考えました。

そこではじめたのが、速聴勉強法を解説するブログです。専門医になってからも、そして今も書き続けています。ブログ開始から10年以上の歳月が流れました。

お金持ちやエリートだけが手にできるものではなく、平等に誰にでも開かれた勉強法を伝えたいという信念で続けています。

ただし、私は文章を書くことがあまり得意ではなく、かつ衝動的に書き散らすこともあり、「読みにくい」「読む気になれない」という率直な感想を多数いただいております。また、医学に偏った事例が多く、一般の人にはとっつきにくい内容だと反省しています。

しかし、こうして書籍の形にする機会に恵まれたことで、速聴勉強法の骨格となる部分を抽出し、推敲（すいこう）を重ねながら体系的にまとめることができました。

論より証拠、まずは実践

私は医師として臨床現場に立ちつつ、医学における統計学を勉強しています。第一著者（ファーストオーサー、共著者の中で最も責任がある人）や多施設共同研究の責任著者として論文を書いたり、文部科学省から科研費を受けて生物学の基礎研究もしています。

そうしたアカデミックな立場から見ると、残念ながら本書は「査（さ）

読」されているとはいえません（査読というのはアカデミックな専門家2名以上が、正しいことを書いているか、捏造がないかをチェックするシステムです）。

本書のファクトチェックはあくまで編集者、監修者、校正者ですが、すべてのエビデンスが確認されているわけではありません。

ただ、安心していただきたいのは、論より証拠で、**実践すればすぐに効果が実感できるのが、この速聴勉強法の特長**なのです。

今、この本を立ち読みしている「あなた」の目の前には、本書によって成績が「上がる」か「上がらない」かという、2つの可能性しかありません。だったら、上がるほうに賭けて、「えいや！」とはじめてみてください。

初期投資費用は本書だけです。**実害ゼロの治験みたいなもの**です。

スマホやタブレット端末が普及し、録音と速聴再生する環境が誰にでも存在する時代になりました。本書ではスマホではなく、ボイスレコーダーを推奨していますが、ビギナーはスマホで十分です。

医師が勉強法の本を書いた理由

私はこの勉強法の本で有名になろう、儲(もう)けてやろうという気がまったくありません。大学病院で疾患(しっかん)の新しい治療法の開発のための研究や、医師の卵を教育する側の人間になりたいと考えているので、本業にまったく関係のない本書を書くことに、職業的なメリットはありません。

ただ、過去の自分のように苦しみもがいている人の勉強の悩みを解消したり、経済的な事情によって高等教育をあきらめかけている人たちに新しい可能性を示し、少しでも社会に貢献することを、この本の最大の目標としています。

これは、医療の社会インフラを支えたいと考える医師としての私の思いと通底するものです。医師が勉強法の本を書いた理由はそこにあるのです。

ここで、浪人時代に私に大きな影響を与え、心の支えになったポエムを引用し、紹介します。

私はこの世を旅しているが
それは一回限りの旅だから、
私はできる限りのいいことをしたいのです
できる限りの親切をしたいのです
たとえそれが誰であっても私にさせてください
どうぞそれを断らないで
二度と私はこの道を通らないのだから……
――作者不詳（佐藤富雄『あなたが変わる口ぐせの魔術』かんき出版）

まさに私の意図するところはこの詩に表れています。

どうかみなさんの人生を楽しくする手伝いを、私にさせてください。

私が学んで得たものを、社会に還元し、それによって多くの人たちの勉強の悩みが解決されることを願っています。

速聴勉強法の4ステップ

ステップ1

ノートをまとめる理解段階

◆教科書や参考書の内容を理解する。

◆覚えるべき（暗記すべき）要素と、覚える必要がない（すでに理解した）要素を判断する。

◆過去問を分析して出題傾向を把握する。

◆覚えるべき要素をシンプルにする。

◆覚えるべき要素について、インスピレーションを使って具体的なイメージを考える。

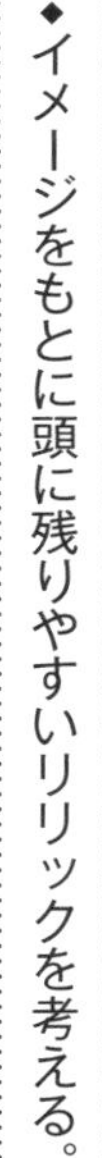

＊暗記する必要がない場合は、リリックを作成せず、インフォグラフィックにまとめるだけでOK。

ステップ2

リリックの作成段階

◆連想・語呂合わせをしてみる。

◆イメージをもとに頭に残りやすいリリックを考える。

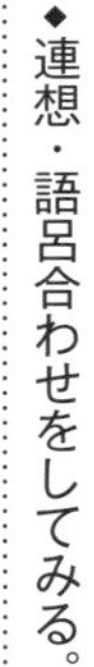

◆文字・図・イラストなどの情報をノート（インフォグラフィック）にまとめる。

ステップ3

レコーディングの段階

◆レコーディングに必要な機材を用意（スマホでOK）。

◆ノートを見て90～120秒に収まる要素を把握する。

◆見出し語↓リリックの順番でレコーディング（1ファイル90～120秒）。

◆必要であれば、ノートを撮影して画像データで管理する。

ステップ4

リスニングの段階

◆インフォグラフィックの内容を読む。

◆速聴しながら、インフォグラフィックの内容を目で追う。

◆速聴しながら、ぼんやりと薄目でインフォグラフィックを眺、その内容をイメージする。

◆インフォグラフィックを閉じ、その内容を脳内でイメージしながら、速聴する。

◆完全にインフォグラフィックの内容をイメージできるようになったら終了。

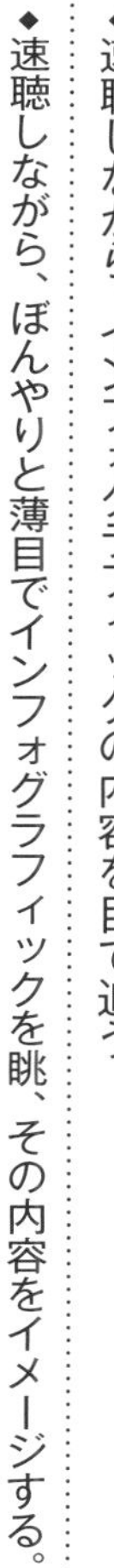

◆覚えられない要素は、再度リリック化、レコーディングして速聴する。

もくじ◆聞いたら忘れない勉強法

Chapter 1

記憶効率を爆上げ！速聴勉強法の４ステップ

Chapter 2

リスニング中心の勉強が最強である理由

Chapter

3

脳にインプットするための情報整理術

Chapter

4

記憶を定着させるための言葉の選び方と遊び方

Chapter 5

誰でもできるレコーディングの技術

Chapter

6

速聴でエグいほど情報をインプットする技術

装丁　山之口正和（OKIKATA）　カバーイラスト　髙柳浩太郎
図版作成　富永三紗子　本文デザイン・DTP　フォレスト出版編集部

Chapter 1

記憶効率を爆上げ！速聴勉強法の4ステップ

読者の合格の可能性を爆上げする、現状で最も効果的な勉強法をダイジェストで紹介しましょう。

この速聴勉強法は、ざっくりと４つのステップに分かれています。

◆**ステップ1：**ノートをまとめる理解段階
◆**ステップ2：**リリックの作成段階
◆**ステップ3：**レコーディングの段階
◆**ステップ4：**リスニングの段階

読み進めていただくと、ステップ１のボリュームが多いと感じると思います。しかし、省略は可能ですし、馴れてくればサクサクとノートをまとめられるようになります。

一度このステップをやりきれば、さまざまな教科や資格試験の学習に汎用（はんよう）可能です。

ドミノのように１つめを倒せば、もう止まりません。

成績も、偏差値も上がり続けることをお約束します。

ステップ１
ノートをまとめる理解段階

歴史教科書に対してどのように挑むか？

ここから４つのステップを説明するにあたり、具体的なテーマがあったほうがイメージしやすいと思うので、歴史教科書の１ページ分を頭に定着させることを目標に解説していきます。

以下は、織田信長（おだのぶなが）が台頭した時代の記述です。なんの変哲もない歴史教科書に書かれていそうな文章のサンプルとして私が作成したものです。

日本国内では群雄割拠する有名な戦国大名が我先にと京都に上り朝廷の信任によって全国の統治者になろうと競い合っていた。その中で尾張（おわり）の織田信

長が斬新な戦略と京都に近い地の利を生かして頭角を現した。

１５６０年、駿河の今川義元を桶狭間で破った信長はやがて京都に上ると足利義昭を将軍に擁立して全国統一に乗り出した。その後、信長は義昭と対立するようになり、１５７３年、義昭を京都から追放した。

ここに室町幕府は２３７年で終了。信長は敵の大名に味方した比叡山延暦寺を焼き討ちにし浄土真宗の一向一揆も降伏させた。これによってその後仏教勢力の政治への発言力が弱まった。

信長は１５７５年、甲斐の武田勝頼の騎馬隊を鉄砲隊で打ち破った。これを長篠の戦いと呼ぶ。その翌年信長は京都に近い琵琶湖畔に安土城を築いた。

信長は政治に介入し発言する仏教勢力を抑える一方でキリシタン宣教師を厚遇した。

信長は楽市・楽座の政策を推進して、商人に自由な営業を認め流通の妨げとなる関所を廃止した。

このように信長は旧来の政治勢力や社会制度を打破し全国統一への道を切

り開いた。しかし１５８２年、家臣の明智光秀の謀反に遭い京都の本能寺で自害した。本能寺の変と呼ぶ。

たいていの教科書は、このサンプル原稿のように時系列に事実が文章で記されています。そして、それに関連する人物の肖像や日本地図、絵巻物などが適当にレイアウトされています。

教科書の文章には、読者を牽引しよう、楽しませてあげよう、興味を持たせよう、というサービス精神はほとんどありません。

間違いがあってはいけない、特定の思想や内容に偏ってはいけないなど、さまざまな制約を受けた結果、（間違ったことは書いていないものの）決して面白いとはいえない文章になってしまうのでしょう。それゆえに、嫌いな教科の教科書を読むことに、たいへんな苦痛を感じるはずです。

それでも、教科書を読まないことにははじまりません。

ステップ１で最初に行うのは、この教科書から要素を抽出する作業です。そのときに明確にすべきなのが、次の３つです。

◆覚える必要がない要素。
◆覚える努力をしなくても理解できる要素。
◆覚えなければならない要素。

まずは**覚えることを必要最小限にするために教科書の内容を理解し尽くし、記憶する対象をできる限り減らすことが大切**です。

すなわち、覚える努力をしなくても理解できることは軽視し、いったん横に置きます。一方、簡単には記憶できないことを重視し、その「要素」を抽出します。要素というのは、それ以上分解できない項目と考えてください。

この作業は、文系科目だけでなく、理系科目でも同様です。

要素はシンプルにまとめる

以下は、先の教科書のサンプル原稿を読んで、私にとって常識で覚える必要がない、あるいは文脈を追っていけば自然と導き出せる要素、そして覚えるべき要素をまとめたものです。

覚える必要がない要素

◆室町時代は戦国大名が乱立した。戦争しまくり。世の中が荒れまくり。
◆この世を平和にしてくれる架空の動物である麒麟（きりん）がくる！　ってなってほしいと当時の人は思っていた。
◆尾張の織田信長が武力をつけまくってきた。
◆織田信長が仏教をいじめた。一方で、キリシタン宣教師をめでた。

覚えなければならない要素

◆**１５６０年**：織田信長が駿河の今川義元に勝つ。桶狭間の戦い。
◆（１５６１年）：織田信長が足利義昭を将軍にした。
◆**１５７３年**：織田信長が足利義昭とけんかをした。足利義昭は将軍を辞めさせられた。室町幕府終了。

◆**1575年：**織田信長が甲斐の武田勝頼の騎馬隊に鉄砲隊で勝つ。長篠の戦い。

◆**（1576年）：**織田信長が琵琶湖に安土城をつくった。

◆**（1567年以降）：**織田信長が楽市・楽座の政策をつくった。関所をなくした。

◆**1582年：**織田信長が明智光秀に裏切られ、京都の本能寺で自殺した。本能寺の変。

抜き出してまとめた文章の表現がつたなく感じたのではないでしょうか。しかし、これでいいのです（もともと私自身、文章は得意ではないのですが……）。

歴史の教科書は小難しい言葉で書かれているために、とっつきにくいものです。そうした言葉を、もっと身近な、**小学生が使うような言葉になるように柔らかくしてください。**

なぜなら、気取った表現よりも、普段よく使う言い回しのほうが頭にインプットしやすく、かつアウトプットもしやすいからです。

何かに失敗したとき、「私の不徳の致すところで慚愧（ざんき）に堪（た）えない」なんて独り言を

覚える必要のない要素、覚えるべき要素のまとめ ──①インフォグラフィック作成過程

覚える必要のない要素

室町時代は戦国大名が乱立した。戦争しまくり。世の中が荒れまくり。

この世を平和にしてくれる架空の動物である麒麟がくる！ってなってほしいと当時の人は思ってた。

尾張の織田信長が武力をつけまくってきた。

織田信長が仏教をいじめた。一方で、キリシタン宣教師をめでた。

覚えるべき要素

1560年：織田信長が駿河の今川義元に勝つ。桶狭間の戦い。

（1561年）：織田信長が足利義昭を将軍にした。

1573年：織田信長が足利義昭とけんかした。足利義昭は将軍を辞めさせられた。室町幕府終了。

1575年：織田信長が甲斐の武田勝頼の騎馬隊に鉄砲隊で勝つ。長篠の戦い。

（1576年）：織田信長が琵琶湖に安土城をつくった。

（1567年以降）：織田信長が楽市・楽座つくった。関所をなくした。

1582年：織田信長が明智光秀に裏切られ、京都の本能寺で自殺した。本能寺の変。

言ったり、心の中でつぶやく人は、そうそういないでしょう。同じ感情でも、「ああ、恥ず！」「ああ、やってもうた！」「やべ！」などと自然と声に出てしまうはずです。簡単な言葉のほうが、脳へ負担がかからず、表に出やすいということです。
ただ、こうして要素を文章にするときにも、ちょっとしたコツが必要です。

要素をざっくりさせるときの注意点

◆体言止めを連発するのはやめる。しっかり動詞で文章を終わらせる。歴史について書かれているので過去形にするのがベター。臨場感を持たせたいなら、現在形でもＯＫ。

◆「群雄割拠」といった四文字熟語などは必要ない。

◆熟語を連発しない。最も単純な言葉で表現し直す。

例：「信長が頭角を現した」「台頭した」→「信長が武力をつけた」

例：「勝利した」「圧勝した」→「勝った」

歴史教科書を覚えるときのコツ

歴史教科書の内容を覚えることを例に解説しているので、参考までに歴史特有の要素のまとめ方も付記しておきましょう。

歴史において重要なのは、「何年に」「誰が」「何をしたのか」です。英語で記号化すると、「W（When）」「S」「V」です。

教科書の説明文は単調になるのを避けるために、たびたび「W」「S」を省略しています。したがって、要素化する際には「W」「S」「V」を明確にしてまとめてください。

先ほど抜き出した要素には適宜（てきぎ）、年号と主語を補いました。ただし、カッコ内の年号は、覚える必要がない年号です。なぜなら、私が調べた限り、テストに出題されないからです。一度もテストに出題されたことがないなら、今後も出ません。みなさんが覚えなければならないのは、過去問で出題されたことだけです。

抜き出した要素は、時系列に、あるいは論理の順番で上から下にノートに書いていきましょう。

このノートへの記述は、ステップ2まで続きます。そして、最終的にノートはインフォグラフィック化します。

インフォグラフィックとは、文字やイラスト、図を使って情報を視覚的に表現したものです。道路の標識や地下鉄の路線図もインフォグラフィックです。多くの資料集や英単語帳もインフォグラフィックの形になっています。

この歴史教科書のサンプルについて描いた、インフォグラフィックをイメージしたものを48ページに載せました。

ぜひ、このインフォグラフィックに至るまでのプロセスを確認しながら読み進めてください（なお、具体的なインフォグラフィックのつくり方はチャプター3で詳述します）。

無機的な要素を具体的なイメージに結びつける

要素を抜き出したら、そこに登場する人物の可視化をする作業に入ります。記憶する際、そのイメージが大きな助けになるからです。

ここでは歴史を例にしているので、登場人物を材料にイメージし、ビジュアル化していますが、他科目においては、**覚えにくい要素があった場合、人物に限らず別の何**

登場人物を自分の知る誰かに投影・イメージする

かに置き換えます。

さて、私の場合はＮＨＫの大河ドラマが好きなので、「麒麟がくる」のキャストで可視化します。

織田信長は染谷将太、明智光秀は長谷川博己、今川義元は片岡愛之助、足利義昭は滝藤賢一、武田勝頼は平岳大（「麒麟がくる」には登場してこないので、「真田丸」の武田勝頼役で代用）。

こうすることで、名前を顔でイメージできるようになります。教科書に載っている肖像画でもいいのですが、織田信長、豊臣秀吉、徳川家康、西郷隆盛、ザビエルくらいならパッとイメージできますが、それ以外の人物で肖像画を思い出せる人は多くはないはずです。

したがって、自分がよく知っている人物の顔をイメージすることをオススメしています。

芸能人でもいいですし、親戚のおじさんやクラスメイト、会社の同僚、同じ名字の知り合いやキャラクターでもかまいません。

なぜか、多くの記憶法は意外としょぼい　連想（こじつけ）・語呂合わせ

次に、登場人物や出来事から、連想（こじつけ）や語呂合わせを考えます。イメージを膨らませることが記憶の助けになるのです。

しかし、連想・語呂合わせというと、「しょぼい」というイメージを受ける人は多いはずです。私もかつてはそうでした。

たまに記憶力世界一（日本二）という人が、自身の記憶法をまとめた本を書きますよね。どんな画期的な方法なのだろうと期待に胸を膨らませて買ったことがあります。ところが、**オリジナリティを装っているものの、そのメソッドの根本的な部分は連想、語呂合わせ**だったりします。

同じような経験をしてがっかりした人は多いはずです。

しかも、その連想や語呂合わせ自体が、ほとんど意味をなしていないような、あるいはバカバカしい文章だと、余計に試そうという気になりません。

ただし裏を返せば、どんなにオリジナリティを出そうとしても、結局は連想・語呂

合わせに行き着くのかもしれません。それを抜きに、興味のないことを記憶するのは難しいということを、記憶力世界一（日本一）の人も知っているということです。

つまり、どんなにバカバカしいものであっても、連想・語呂合わせは、記憶に必須の手段と考えるべきなのでしょう。

以下、参考までに私の恥ずかしい連想や語呂合わせを紹介しますが、本来そんなものは他人に見せる必要はありません。どんなにバカバカしいものでも、記憶を定着させることができるのであれば問題ないのです。

まずは連想しましょう。

織田信長、明智光秀という単語自体は、覚える必要ないくらい有名ですよね。それ以外は、思い出せるように強烈なイメージを連想するのです。

各出来事と連想のイメージ例

◆1560年：織田信長が駿河の今川義元に勝つ。桶狭間の戦い。

片岡愛之助（今川義元）が、今川焼きを食べて、「よし！　もっと持ってこよ！　桶に入るくらい、持ってこよ！」と言ってるイメージ。

㊟「今川義元→今川焼き」、「桶狭間→桶」と連想。

◆（**1561年**）**：**織田信長が足利義昭を将軍にした。
染谷将太（織田信長）と滝藤賢一（足利義昭）が友だちになり、ヨイショしているイメージ。

㊟「将軍にした→ヨイショ」と連想。

◆**1573年：**織田信長が足利義昭とけんかをした。足利義昭は将軍を辞めさせられた。室町幕府終了。
滝藤賢一（足利義昭）が染谷将太（織田信長）に転ばされて、「足をひっかけるのはよしてよ！　ムロツヨシも！」と泣いている姿、さらにムロツヨシに顔を踏まれるイメージ。

㊟「室町幕府→ムロツヨシ」と連想。

◆**1575年：**織田信長が甲斐の武田勝頼の騎馬隊に鉄砲隊で勝つ。長篠の戦い。

平岳大（武田勝頼）が武田の騎馬隊でがんばって突撃したけど、銃で撃たれまくって、「織田が勝ちよったにぃー、悲しいのぉ」と泣いているところをイメージ。

㊟「長篠→悲しいのぉ」と連想。

◆**（1576年）：**織田信長が琵琶湖に安土城をつくった。

染谷将太（織田信長）、びわにあずきバーの組み合わせ、大好き！　というイメージ。

㊟「琵琶湖→フルーツのびわ」「安土城→あずきバー」と連想。

◆**（1567年以降）：**織田信長が楽市・楽座をつくった。関所をなくした。

染谷将太（織田信長）が楽天カードマンになって、関所を蹴って壊しているイメージ。

覚えるべきことと、そのイメージとの関連性
——②インフォグラフィック作成過程

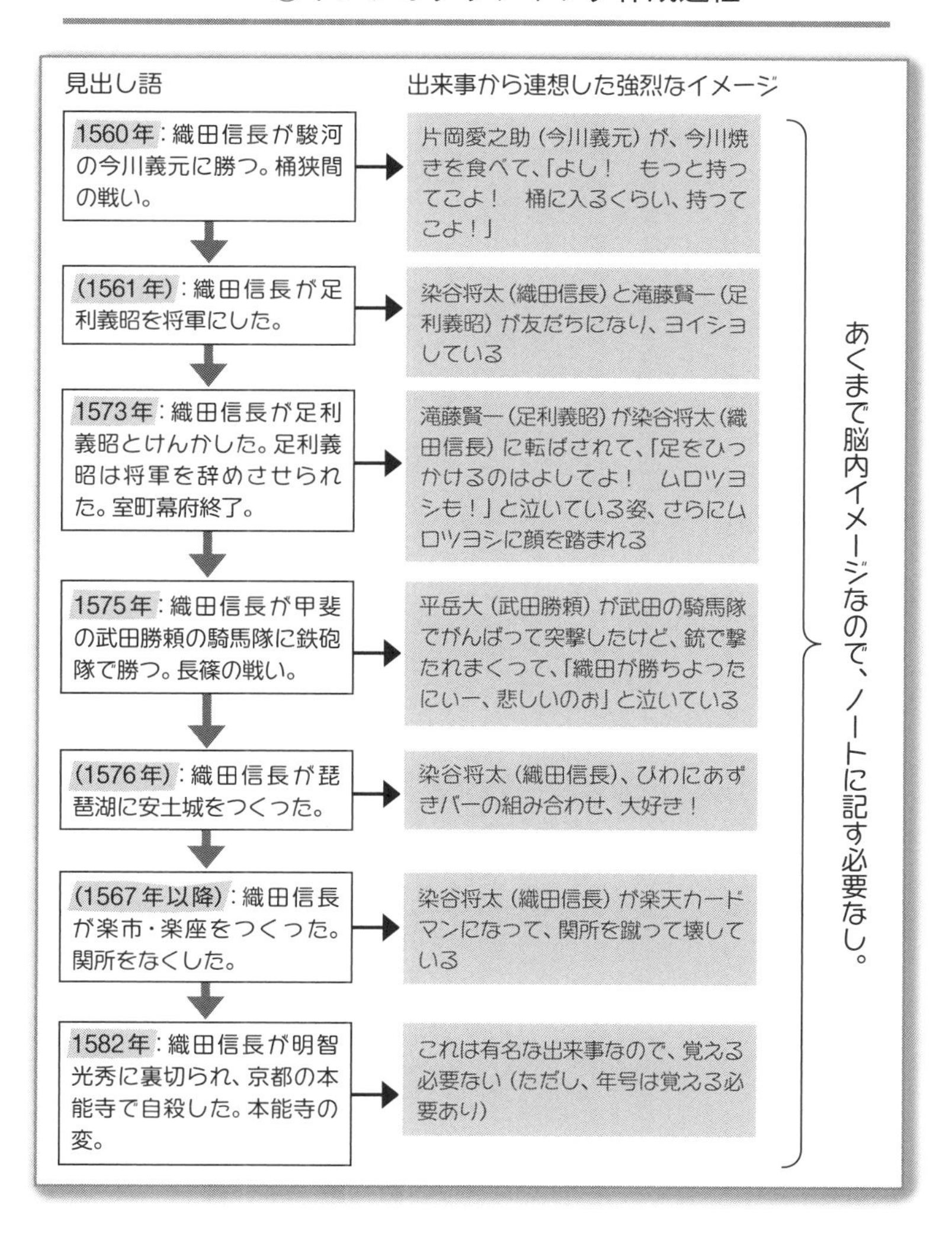

㊟「楽市・楽座→楽天カードマン」と連想。

◆1582年：織田信長が明智光秀に裏切られ、京都の本能寺で自殺した。本能寺の変。

これは有名な出来事なので、覚える必要ない（ただし、年号は覚える必要あり）。

これで主要なS（主に登場人物）がV（連想した出来事）と強制的に結びつきました。連想ゲームをしているうちに、奇妙な文章ができあがるわけですが、S（主に登場人物）とV（出来事）はなんの関連性がなくても構いません。むしろ関連性がないほうが、奇妙なのでインパクトが強くなります。

年号については、たいていの参考書にすでに代表的な語呂合わせが載っているので、自分でつくる必要はありません。次の語呂合わせも、ネットから適当に拾ってきたものです。

◆1560年：織田信長が今川義元を破る

〈語呂合わせ〉今川軍、今ごろ驚く（１５６０）桶狭間

◆**１５７３年：**室町幕府滅ぶ
〈語呂合わせ〉信長に追われて義昭、以後なみだ（１５７３）

◆**１５７５年：**織田信長が武田勝頼を破る（長篠の戦い）
〈語呂合わせ〉長篠で、人こなごな（１５７５）の、鉄砲隊

◆**１５８２年：**織田信長が明智光秀に討たれる（本能寺の変）
〈語呂合わせ〉行こう！　奴は（１５８２）本能寺

これで、年号とＳとＶがほぼ理解可能にくっつきました。

以上により、理解段階終了です。あとは連想と語呂合わせをくっつけて、リリックにする作業です。

ステップ2

リリックの作成段階

頭に残りやすくするためのリリック化

ステップ2では、ステップ1でまとめた要素をリズミカルなリリック（歌詞）にします。

なぜリリックにする必要があるかというと、チャプター4で詳述しますが、リスニングの段階でメロディック・イントネーション・ラーニングを行うからです。

リズムがあったほうが聞き取りやすいし、頭にインプットしやすいというのは、多くの人が実感していることですが、そうした特長を活かした学習をメロディック・イントネーション・ラーニングと呼びます。

リリックにするコツは七五調にして、できるだけ韻を踏むこと。こうすると、リズムを生みやすくなります。
ただし、すべての学習においてリリック化しなければならないわけではありません。あくまでも、暗記しなければならないもののみです。それ以外は、このステップ2をすっ飛ばしていただいてかまいません。

以下、覚えるべき内容と、私がつくったリリックになります。「　」内がリリックです。

◆**1560年：**織田信長が駿河の今川義元に勝つ。桶狭間の戦い。
「今川軍、今ごろ驚く（1560）桶狭間。愛之助、今川焼きを食べ、〝よし！　もっと持ってこよ！　桶に入るくらい、持ってこよ〟」

◆**（1561年）：**織田信長が足利義昭を将軍にした。
「将太と賢一、マブダチ。賢一、ヨイショで、まじ将軍」

◆**1573年：**織田信長が足利義昭とけんかをした。足利義昭は将軍を辞めさせられた。室町幕府終了。

「信長に追われて義昭、以後なみだ（1573）。賢一、将太に転ばされ（足をひっかけられて）、〝足！　足！　足、ひっかけるの、よしてよ！（さらにムロツヨシに顔を踏まれて）ムムム、ムロツヨシ！〟涙」

◆1575年：織田信長が甲斐の武田勝頼の騎馬隊に鉄砲隊で勝つ。長篠の戦い。

「長篠で、人こなごな（1575）の、鉄砲隊。平岳（ひらたけ）、コナゴナ、織田が勝ちよったにぃー、悲しいのぉ、悔しいぃのぉ」

◆（1576年）：織田信長が琵琶湖に安土城をつくった。

「将太、びわとあずきバー、超大好き」

◆（1567年以降）：織田信長が楽市・楽座をつくった。関所をなくした。

「将太、楽天カードマァーン、関所、蹴ってるぅー」

◆**1582年：**織田信長が明智光秀に裏切られ、京都の本能寺で自殺した。本能寺の変。

「行こう！　奴は（1582）本能寺。長谷川博己、染谷将太を本能のおもむくままに、裏切り。秀吉はいこうよ。やつは本能寺にいるから」

すべての要素をつなぎ合わせてインフォグラフィックの完成

このリリックをノートに書き込めば簡易的なインフォグラフィックの完成です。そして適宜、イメージを落書きしたり、色を塗ったりしましょう。すると、48ページのようなインフォグラフィックの完成です。

このリリック化を面倒に感じるかもしれませんが、一度やってみると純粋に楽しいものです。

即興で思いつくままに書いていくのがコツです。他人に見せるわけではないので、下手くそでもいいのです。むしろ、下手くそなものほど、記憶に残りやすかったりす

見出し語＋リリック＋イメージ
――③インフォグラフィックの完成

見出し語	リリック	イメージ
1560年：織田信長が駿河の今川義元をに勝つ。桶狭間の戦い。	「今川軍、今ごろ驚く（1560）桶狭間。愛之助、今川焼きを食べ、よし！ もっと持ってこよ！ 桶に入るくらい、持ってこよ」	
(1561年)：織田信長が足利義昭を将軍にした。	「将太と賢一、マブダチ。賢一、ヨイショで、まじ将軍」	
1573年：織田信長が足利義昭とけんかした。足利義昭は将軍を辞めさせられた。室町幕府終了。	「信長に追われて義昭、以後なみだ（1573）。賢一、将太に転ばされ（足をひっかけられて）、"足！ 足！ 足、ひっかけるの、よしてよ！（さらにムロツヨシに顔を踏まれて）ムムム、ムロツヨシ！" 涙」	
1575年：織田信長が甲斐の武田勝頼の騎馬隊に鉄砲隊で勝つ。長篠の戦い。	「長篠で、人こなごな（1575）の、鉄砲隊。平岳、コナゴナ、織田が勝ちよったにぃー、悲しいのお、悔しいいのお」	
(1576年)：織田信長が琵琶湖に安土城をつくった。	「将太、びわとあずきバー、超大好き」	
(1567年以降)：織田信長が楽市・楽座をつくった。関所をなくした。	「将太、楽天カードマアーン、関所、蹴ってるぅー」	
1582年：織田信長が明智光秀に裏切られ、京都の本能寺で自殺した。本能寺の変。	「行こう！ 奴は（1582）本能寺。長谷川博己、染谷将太を本能のおもむくままに、裏切り。秀吉はいこうよ。やつは本能寺にいるから」	

るものです。

ラッパーはサイファー（複数人で輪になって即興でラップをすること）ができますが、そこまでのスキルは必要ありません。

さて、ここまで下準備に時間をかけたくないと、億劫（おっくう）に思った人もいるかもしれません。

しかし、ノートをまとめる理解段階、リリックの作成段階で手を抜くと、リスニングの段階で繰り返し聞く回数が増えるので、結果的に時間が余計にかかってしまい、受験本番まで覚え続けるのが難しくなります。

急がば回れで、ステップ1とステップ2で深く理解し、覚えるべき要素を理解すると、リスニングを繰り返す回数が極端に減ります。

また、ステップ1とステップ2のプロセスは、やればやるほどスキルが上がり、かなり早くインフォグラフィックにまとめることができるようになります。

ステップ3

レコーディングの段階

1ファイル90～120秒の原則

次に、ステップ2でつくったリリックをレコーディングします。

ビギナーは、自分でつくったブサイクなリリック（はじめからカッコいいリリックをつくれる人など、なかなかいません。そもそも私は何度もリリックをつくっていますが、そのレベルは記載してあるとおりです）を、リズミカルに声に出すことを恥ずかしいと思うので、最初は棒読みでＯＫとしましょう。

まず「見出し語」を吹き込みます。ここで言う見出しとは、覚える必要のある要素です（次の文章の「１５６０年：織田信長が駿河の今川義元に勝つ。桶狭間の戦い」の部分）。

そのあとに、ステップ２でつくったリリックを歌います。

◆１５６０年：織田信長が駿河の今川義元に勝つ。桶狭間の戦い。
「今川軍、今ごろ驚く（１５６０）桶狭間。愛之助、今川焼きを食べ、〝よし！　もっと持ってこよ！　桶に入るくらい、持ってこよ〟」

これを読むとだいたい10〜20秒です。
1つの音声ファイルを90秒ほどにしたいので、以下の文章を続けて読みます。

◆（１５６１年）：織田信長が足利義昭を将軍にした。
「将太と賢一、マブダチ。賢一、ヨイショで、まじ将軍」

◆１５７３年：織田信長が足利義昭とけんかをした。足利義昭は将軍を辞めさせられた。室町幕府終了。
「信長に追われて義昭、以後なみだ（１５７３）。賢一、将太に転ばされ（足をひっかけられて）、〝足！　足！　足、ひっかけるの、よしてよ！（さらにムロツヨシに顔を踏まれて）ムムム、ムロツヨシ！〟涙」

ここまでレコーディングします。

これでだいたい、**90～120秒以内でレコーディング**できるはずです。記憶用音声ファイルの完成です。

90～120秒の音声ファイルを3倍速にすると、30～40秒で1回転します。これ以上音声が長いと覚える内容が多すぎて、想起しづらくなります。一方、短すぎても、反復タイミングが早すぎて、「思い出す感覚」がなくなるので避けましょう。

このようにして、残りの部分もレコーディングし、ファイルの数を増やしていきましょう。

ステップ４ リスニングの段階

１ファイルの要素を10分以内で記憶する

最後に、いよいよステップ3でつくったファイルを速聴します。

先述したとおり、1ファイル90秒くらいの音声を、3倍速で聞いてください。

詳細はチャプター6でお伝えしますが、ここでは大まかな流れを説明します。

おおよそ、**1ファイルを10~20回以上繰り返して聞いたら、ほとんど覚えられます。**


まず1回目の速聴は、ノートを目で追いながら音声を聞きます。基本的に1回で十分です。内容を忘れている場合は数回聞いて思い出してください。

次に、薄目でノートを見ながら、音声を聞きます。このとき、ノートに焦点を合わせず、ノートに記したインフォグラフィックをできるだけクリアにイメージしようと意識してください。なかなかクリアにできなかったら、焦点を合わせて再びインフォグラフィックを見てください。

だいたい、10回くらい繰り返したら、目を閉じても、読んだ部分がまるごと、色彩豊かに脳裏に焼き付いているはずです。

薄目を開けて、焦点をぼかして、聞いた内容から、ページのどこにどの文章が書いてあるのか、どんなリリックだったのか、どこに落書きが書いてあるのか、イメージしてください。

注意してほしいのは、完全に目を閉じて速聴していると眠くなることです。なるべく焦点を合わせず、ピンボケさせた状態で、内容を高速にイメージするのです。薄目を開けてノートのインフォグラフィックを見たり、薄目でそれをイメージして聞くのを30秒（90秒の音声ファイルを3倍速で聞く）×10回で5分。

さらに、目を閉じて同様のことを5分。合計10分以内に、1ファイルを全部覚えられます。

以上のように、歴史で速聴勉強法ができたのであれば、他の暗記科目は当然のこと、数学や物理、化学などの理系科目で通用します。

アクティブ・ラーニングのススメ

授業に出て、黒板に板書された内容や、説明された内容（インプットすべき要素）を、そのままノートに書き写したり、教科書の該当箇所に線やマーカーを引いたりするだけの受け身の学び方を「パッシブ・ラーニング」と呼びます。

そしてこのパッシブ・ラーニングに対して、受講者が能動的に学習に取り組む「アクティブ・ラーニング」が、近年推奨されるようになりました。

インプットすべき要素を抽出して、インフォグラフィックにしたり、語呂合わせをつくったり、リリックにするなどして、アウトプットし直すという、本書で解説しているステップ1〜ステップ3は、まさにアクティブ・ラーニングです。

さらにそのインフォグラフィックを速聴して、イメージを「思い出す練習」（↓62ページ）をするステップ4まで含めると、私のメソッドは超アクティブ・ラーニングといえるでしょう。

たいていのことはアクティブ・ラーニングをしていれば覚えられるのですが、さらに**「思い出す練習」を強制的に行うのがこの本の主張する一番コアの部分**です。

ぜひ、パッシブ・ラーニングの限界を知っていただき、アクティブ・ラーニングに挑戦してください。

この壁を乗り越えることを少しでもお手伝いするのが、本書の存在意義です。

Chapter 2

リスニング中心の勉強が最強である理由

私たちの祖先は聴覚に頼って生きていた

人間は、もともとサルだった時代のほうが長いのは、多くの人が知るところです。ただ、意外と知られていないのが、かれらの生態です。

サルだった私たちの祖先はアフリカの森に住んでいました。今では当たり前のように人間は昼間を中心に活動していますが、当時は夜行性だったといわれています。日中は肉食動物に狙われることが多かったからです。

したがって、暗い森の中では、人間は視覚情報よりも聴覚情報に頼っていました。獣(けもの)の声や「みしみし」という小さな音を聞き分け、危険な肉食動物や毒蛇などの急襲(きゅうしゅう)から逃れてきたのです。そして、そんな鋭敏な聴覚を持った者だけが生き残ることができました。

現代に生きる私たちからすると意外ですが、このように**原始社会では聴覚は視覚に負けず劣らず、生存に直結する能力だった**のです。

そんなサルからヒトに進化したあとも、人類はその知恵を音楽や言葉に乗せることで高度な文明をつくりました。文字ができる前から、人間は音を活用し、それを聞くことでコミュニケーションをとってきたのです。

では、現代社会ではどうでしょうか?

聴覚情報のほうが視覚情報より印象に残りやすい理由

聴覚は今もなお、人間にとって大切な能力であることは間違いありません。しかし、夜も電気をつけて生活をしている私たちは、どちらかといえば視覚に偏重した生活を送っています。

そして学習面においても、私たちは圧倒的に視覚情報に頼っています。外国語のリスニングでは、どうしても聴覚を鋭敏にしなければなりませんが、漢字や単語、年号、公式といったもののほとんどを、視覚情報に依存して覚えようとしてきました。

しかし、視覚だけにたよった勉強は、ある意味人間の能力を一面的にしか使いこなせていない状態といえます。

原始の時代から人類にとって必要不可欠でありながら、その能力を活用しきれていない聴覚。この能力を有効に活用できるようになれば、より効率的な学習ができるはずです。

私が本書でお伝えする速聴勉強法は、まさにそれを証明しています。**聴覚を意識して使うことで、記憶の定着が格段に上がる**のです。

視覚偏重の勉強をしてきた人にとっては、聴覚を使うことに抵抗感を持つかもしれません。

しかし、冷静に考えてみましょう。

単純に何度も教科書を黙読したり、線を引いたりしただけで、どれだけその内容を理解し、記憶できたでしょうか。イラストや図ならまだしも、文章はそれよりも確実に印象に残りにくいはずです（漢字は象形文字なので、アルファベットよりも認知しやすいかもしれませんが）。

見たものを瞬時に脳内に取り込める映像記憶のような超人的な能力がないかぎりは、読んでいるときに「理解」はできても、穴の空いたバケツに水を入れるように、何度も繰り返し黙読したところで、知識・情報はなかなか頭の中に留まってくれません。

速読に頼るのもやめよう

情報を早くインプットするために、速読に挑戦する人もいます。

速読といっても、飛ばし読み的なものや眼球をすばやく動かして文字を追うものなど、流派はそれぞれです。その効果についての評価は一概にはいえませんが、少なくともそれが「勉強」に役立つかというと、疑問が残ります。

もちろん、なんとなく全体を理解することが目的の読書であれば、速読はある程度効果を発揮することでしょう。

しかし、**「覚える」「記憶する」ことを目的とするならば、普通に読もうが、速読しようが、その効果に大差はない**はずです。いえ、むしろ速読したほうが、内容が印象に残りにくいといえるかもしれません。

確かに教科書や参考書を読む時間は短縮できますが、結局は繰り返し読まなければならないわけで、非常に苦痛な作業であることに変わりはありません。

覚えるために必要なのは「思い出す練習」

もちろん、「教科書を読む」という行為を否定しているわけではありません。チャプタ1でも触れたように、ステップ1の理解段階では、必ず教科書を読みます。ただ、その読み方も「覚える」「記憶する」ための読み方でなければ意味がありません。

「覚える」「記憶する」ということが、どのようなプロセスで行われるかを考えてみましょう。

「覚える（記銘）」「記憶する（保持）」ことに必要なのは、「思い出す練習（想起）」です。私たちは勉強において「覚える」「記憶する」ができたときは、それが意識的・無意識的にかかわらず、「思い出す練習」もしています。

抽象的なので、もう少し具体的に説明しましょう。

リングのついた単語カードを利用したり、緑のマーカーで覚えたい箇所をマーキングし、それを赤い下敷きで隠しながら記憶したという人は多いはずです。そのときにしていたのが、まさしく「思い出す練習」です。つまり、セルフでQ&Aをしているのです。

自分「acceptの意味は？」
自分「えーっと、受け入れるだったかな……」
（カードをめくって……）
自分「よし、正解！」

カードの裏面やマーカーで隠された箇所を思い出せるのであれば、「覚えている」、できないのであれば「覚えていない」ということ。言葉を変えると、**インプットしたものをアウトプットできることを「覚えている」、アウトプットできないことを「覚えていない」と定義できます。**

新しい知識を覚えるには、テストだったり、自問自答だったり、形式こそ変われど、この行動を繰り返すしかありません。

Q　〇〇とは何か？

A　△△です。

つまり、「覚えている」という状態は、質問されたときに答えられることです。

情報や知識をインプットすることの重要性はさまざまな本で語られているところですが、勉強においてはそれをアウトプットできなければ意味がありません。

これが、漫然と教科書を読んでも、書き込んでも覚えられない理由です。

教科書を読むだけで覚えられるという人は確かにいます。しかし、彼らは読みながらこのセルフQ&Aをしています。

「次に書かれているのは何か？」「確か〇〇だったよな」と考えながら読むので、記憶が定着するのです。

では、そのように読めばいいかというと簡単なことではありません。

そこで速聴勉強法は、この思い出す練習を、音声とイメージの力を借りて行えるようにしています。

「思い出す練習」とは？

速聴勉強法では音声（Q）に対して、
インフォグラフィックをイメージして
解答（A）を繰り返すという「思い出す練習」をする。

3倍速にすると、自分の声を聞くことの恥ずかしさがなくなる

自分の声をレコーディングし、その声を自分で聞くことに抵抗感がある人は、かなりいると思われます。

スマホ1台にカメラやボイスレコーダーがある時代です。録音された音声データや、自分が映っている動画で自分の声を聞いたことがあるという人は多いでしょう。歌手や声優、アナウンサー、俳優など、声を使った職業の人は別でしょうが、一般的によく耳にするのは、自分の声が「恥ずかしい」「気持ち悪い」という感想です。

端的にいえば、普段の自分の話し声は骨伝導音と気導音が混ざったもの、レコーディングした声は気導音のみ、という違いが違和感を生み出します。

もう少し詳しく解説しましょう。

普段の自分の話し声は、声帯が震えると、その振動が頭蓋骨を伝わり、直接、中耳の耳小骨を振動させ、それが内耳の蝸牛に伝わり、蝸牛が振動を電気信号に変換して聴神経に伝えます（骨伝導音）。一方、外に出た声は空気を振動させます。この空気

の振動が鼓膜を振動させ、それが耳小骨に伝わるのです。後は同じメカニズムです（気導音）。この骨導音と気導音が混ざったものが、自分の声として脳内で認識されます。

一方、自分の声をレコーディングして聞いた場合、気導音だけなので、大変な違和感が生まれます。


どうしてそれを「恥ずかしい」「気持ち悪い」と感じるかは、「馴れていないから」という以外の理由は正直よくわかりません。

しかし、この問題も速聴勉強法で推奨している3倍速にすると解決します。

3倍速にすると音程が上がります。アニメ「キテレツ大百科」のコロ助の声のような音程に近づくことが多いはずです。すると、**自分の声だという認識ができなくなるので、特有の恥ずかしさを感じなくなります。**

したがって、「自分の声を聞くのがイヤだからちょっと……」という意識を、速聴勉強法であれば払拭（ふっしょく）できるのです。

最初から3倍速は難しいということであれば、1・5倍速でも、2倍速でも、背伸びした速度で聞いてください。それくらいでも、恥ずかしさはかなり軽減されます。

馴れたら少しずつ速くするのがコツです。

聞いて理解したことは明確なイメージとして固定され、なかなか忘れにくい「視覚的印象」に変わります。

そして、何度も聞いているうちに、「聞く前に、これからしゃべる内容がスラスラ思い出されて、視覚的印象として想起される」という段階に入ります。

これが、完璧に記憶することができた、「マスターした」状態と言えます。

これを繰り返すだけで、何でも覚えられます。

反復学習も3倍速にすれば楽

速聴勉強法の大きなメリットの2つめは、やはり時短ができることと、退屈さがあまりないことです。

リピート再生されたものを速聴するという作業は、創造性がない反復学習の地味で退屈な行動を緩和できます。

確かに、聞くこと自体は受動的です。そういう意味で退屈に感じるかもしれませんが、**読んだり書いたりするよりは、格段に退屈さは軽減されます。**

速聴で声を追うには、どうしたって集中しなければならない状況に自分を追い込まなければなりません。

「読む」という作業も、集中することは可能でしょうが、つまらない、興味もない文章を読み続けることと、聞き続けることを比較した場合、どう考えても聞くほうが楽なはずです。

しかも、速聴勉強法で聞くのは教科書の内容ではなく、覚えるべき箇所を絞った内容になっているので、受け取り方もまるで変わってきます。

うろ覚えのことや、曖昧な知識のままでノートの内容を聞いても、頭に入ってきません。脳がついていかずに聞きそびれてしまうんです。

だから、何度も「聞きそびれたところ」を「え？　今なんつった？」と考えながら、耳を澄ませて聞くのです。

自分のノートの内容だから、自分の文字や、それをレコーディングしているときの様子を思い浮かべながら聞けば、聞き取れるようになります。

私たちは場所に縛られずに学べるようになった

速聴勉強法の大きなメリットの1つが、「机の前からの解放」です。テスト直前だろうが、私は机で勉強せず、遠くの湖畔でのんびり風景を楽しみながら記憶活動に精を出しました。この方法を知らない人にとって、それは現実逃避にしか見えないでしょう。

「机にかじりつくように勉強する」という昭和の香りのする言葉は、速聴勉強法をマスターすれば陳腐なものとなります。なぜなら、スマホさえあればどこでも勉強空間をつくれるからです。

新型コロナウイルスの影響で、テレワークとテレスクールが日本社会にインストールされました。もう学校や会社といった空間、場所に縛られずに仕事をする、学ぶ時代なのかもしれません。

181ページに、私が速聴勉強法をするにあたって、非常に集中して取り組めた場所について、独断と私見に基づいてランキングしたものを掲載しております。ぜひ、参考にしてみてください。

スキマ時間と休息時間を勉強に使えるメリット

リスニングほどスキマ時間を活用しやすい勉強法はありません。バスや電車に乗っているときはもちろん、勉強の休憩時間にだって使えます。何しろ、目、肩、腰を使わないで勉強できます。

結果的に、最小限の時間で最大限の結果を期待できるのです。

よく東大に合格した人のインタビューで耳にするのですが、「1日15時間勉強しました。だから現役で合格できました」という、勉強時間を誇示するような感想です。

しかし、集中力は90分しか持たないといわれます。それ以上を目指そうとしても、ストレスがたまるだけです。15～30分休憩を入れて、また次の90分勉強するというサイクルが定番です。

1日8時間を勉強のために使うとしましょう。90分（勉強時間）＋30分（休憩時間）＝120分を1セットとすると、4セットしかこなせません。つまり、実質的な勉強時間は6時間。

一方、この休憩時間30分をリスニングに当てると、どうでしょうか。**8時間をほぼすべて、勉強時間に当てられて、かつ身体を休ませられます。そして休んでいるのにもかかわらず、記憶できているという充実感が生まれます。**つまり、同じ8時間でも、その効率には大きな差が生まれます。

それこそ脳が疲弊してリスニングに集中できないのではないか、という疑問があるかもしれません。しかし、それが集中できてしまうのです。おそらく、音声という助けがある分、「思い出す練習」の「Q&A」の「Q」が必要なくなることにより受動的になるため、脳へのストレスをかなり軽減しているものと思われます。

また、教科書や参考書を読んだり、ノートをとる場合、主に視覚と指を酷使します。一方、この勉強法は、聴覚を使うため、使っている脳の領域が違います。視覚も聴覚も2時間酷使すれば疲れますが、2時間交代で交互に使えばエンドレスで集中できます。腕立て伏せをして腕が疲れたあとでも、ランニングができることと同じ理屈です。

「休憩時間」を使って速聴するコツは、机に頭を突っ伏した、授業中に寝るあのスタイルで聞くこと。そして、リスニング内容をその日にやったことの復習にすれば、目、肩、腰に休息を与えつつ、脳は働き続け、記憶の定着もはかれます（ただし、寝落ちしないように気をつけてください）。

特にテスト前は、いかに高速リスニングで効率よく記憶するかが大切になってきます。寸暇を惜しんでリスニングしましょう。

漢字や英語のスペリングには向かない　速聴勉強法の弱点

速聴勉強法には、残念ながら特有の弱点があることを正直にお伝えしなければなりません。

それは英語のスペリングや漢字を覚えることには向かないことです。こればかりは、文字をイメージするよりも、指を動かしたほうがインプットされます。

ただし、実際に鉛筆を持って書き取り練習をする必要はありません。ブツブツとつぶやきながら指を動かすだけでかまいません。

指を動かす作業は大脳皮質（だいのうひしつ）の運動野と小脳が司っており、指を動かしてスペリングの練習をすると、その動作が感覚的に記憶されます。

実際に英単語のスペルを鉛筆でノートに書き込むのと、キーボードでタイピングした場合を比較してみましょう。いかに身体動作を伴った感覚的な知識が根強く記憶されるかが理解できるはずです。

たとえば、私は「appreciate」という単語のスペルを簡単に鉛筆で書けますが、タイピングするときは、少し戸惑ってしまいます。

なぜなら、私は指で線をなぞるように動かしてスペルを覚えたため、それ以外のタイピングといった方法で英単語を入力する際には、どうしても頭で「ｐの次はｒだったかな、ｌだったかな」などとイメージしてしまい、戸惑ってしまうのです。したがって、英文を入力しようとすると、どうしてもタイプミスが多くなってしまいます。

こうした現象に身に覚えがある方は多いはずです。

ただ、**スペリングや漢字のマスター以外のことについては、すべて速聴勉強法で対処可能**です。

3倍速ちょっとが人間の限界　速聴の幻想

速聴勉強法は3倍速で聞くことを推奨していますが、せっかちな人はもっとスピードを上げたほうが時短になるのではないかと考えるはずです。

以前、私はボイスレコーダー（オリンパス社製のボイストレックという製品）を用いて、これまで3倍速で聞いたものを、短時間で総復習するために、6倍速で再生したことがあります。

この方法なら、60分かけてレコーディングした内容をたった10分で復習できるわけです。

実際、ざっくりと全部聞いた気になるのですが、これがどれだけ効果的であったかはなんとも言えません。こめかみのあたりがザワザワする変な感覚が生まれますが、それがどう自分の能力を上げたのか、あるいは意味がなかったのか、判断しようがありませんでした。

結論をいえば、聞き取れないほどの速い速度で聞く意味はあまりないということでした。

3倍速くらいまでは、聞き取れなかった部分を再度繰り返し聞くことで、認識できるようになってきます。

速聴勉強法は、記憶をアウトプットするときは、なんらかのイメージをともなうようにしているのですが、4倍速以上だと聞き漏らす量が多すぎるし、明確なイメージが生まれる前に音声が流れてしまい、効率的ではありませんでした。

ユーチューブの動画を2倍速で早回しで見ても理解可能ですが、10倍速で早回ししても、映像が高速に流れるだけで、理解不能であることと似ています。

聞き漏らさずに、音声として認識できる速度の限界はだいたい自分がレコーディングした音声なら、3倍速ちょっとが限界です。

それ以上だと、聞き漏らしが頻回になってしまい、ストレスになるので、挑戦する意味はなさそうです。

もちろん、個人差があると思うので、4倍速でも対応できるという人もいるかもしれません。

自身に合わせてスピードをカスタマイズすることは問題ありません。

思いがけずに得た速聴の副次効果

本書では3倍速の速聴の技術をお伝えしますが、それは主に時短を意識したものであり、特別な能力を開発するためではありません。

「記憶力が上がる」「ボケない」「頭の回転が速くなる」「集中力が高まる」というメリットをうたった能力開発系の速聴プログラムや、書籍があるのは事実ですが、そうした副次効果が確実にあるといえるほど、私はエビデンスを有しておりません。

速聴することの時短以外の目的は、脳に強い負荷をかけて、繰り返す回数を減らして視覚と聴覚記憶を定着させることでした。

また、インフォグラフィックに表現することや、覚えたいことを自分の持っている知識に結びつけてリリックにしたりするのは、自分にとっては遠いところにあった情報を、一気に身近に、自分事として認識することが目的でした。

ただ、**長年この方法を使っていると、意図せず次のような能力や結果が出てくるこ**とがあります。

◆アイデアがひらめきやすくなる。

◆記憶力が良くなる。
◆会話力が上がる。
◆忍耐力・やりきる力が高まる。
◆理解力（聞き取り力）が上がる。

一つひとつ、理由を推測しようと思います。

アイデアがひらめきやすくなる

アイデアがひらめきやすくなったことを、科学的に解釈することは難しいです。理由は、再現することができないから。

しかし、このまま知識を増やし続ければ、新しいことを着想できるという自信があります。それは今までの人生において、知識が増えるごとに、新しいアイデアが生まれるという経験をずっと繰り返しているからです。

もちろん、ひたすら知識をためるだけで、新しいアイデアを生み出せるとは思えません。インプットした知識をアウトプットし、他の知識と紐付け（ひもづ）してこそ、新しい着想が生まれるはずです。

そして、この紐付けをたくさんできる人がアイデアに溢(あふ)れているといわれる人なのでしょう。世の中を変えるノーベル賞級のアイデアも例外ではありません。

速聴勉強法では、連想や語呂合わせなどを用いて、まったく無関係の言葉、概念同士を無理やり紐付けるプロセスがあります。したがって、こうした作業が日常になると、いくらでも新しいアイデアが出せるという自信につながっています。

私の場合、医局へ入局2年目で文部科学省から「科研費　若手B」（採択率4割くらいの資金援助で、論文を出版した実績がない私のような若手が採択されることは極めて稀）に採択されたことがあります。論文をその当時は1本も書いていないのにアイデア勝負で勝ち取れたのは快挙だったと教授にも褒められました。

今後、医学論文を年に1本のペースで書いていく予定です。論文が書き終わったら次のアイデアをリサーチしはじめるという好循環ができつつあります。

記憶力が良くなる

先のひらめき力、発想力と理屈は同じです。覚えたい言葉や概念に対して、さまざまなものを紐付けられるようになるため、インプットもしやすいですし、その知識をサルベージして思い出すことも容易になります。

たとえば、「楽市・楽座」から「織田信長」「関所」と連想できる人は多いでしょう。

しかし、私はそれに加えて「染谷将太」や「楽天カードマン」「川平慈英（かびらじえい）（楽天カードのCMに出演）」「蹴る（信長が座や関所をぶっ壊しているイメージ、川平慈英はサッカー好き）」、さらに「ムム（川平慈英の口癖）」などに紐付けることができます。

そして多少大げさにいえば、「ムム」につながっている紐をたどって「楽市・楽座」を引っ張り出してくることもできるようになります。

つまり、こうした紐付けを増やすことが、記憶力のアップにつながると考えています。

会話力が上がる

自分の声をレコーディングすると、いかに自分のしゃべり方がダメなのか、気づくきっかけになります。

会話やスピーチのときについ出てしまう「えー」「あー」「えーっと」などの、文脈上意味のない言葉を専門用語でフィラーといいます。この「フィラー」を連発するアナウンサーやユーチューバーなんていませんよね。はっきり、身振り手振りでにこやかにしゃべる。

自分で自分の動画を撮るのは勇気がいりますが、声だけならそこまでハードルは高くありません。自分のしゃべり方のくせに気づいて、相手が不快にならない話し方に気がつくと、会話力が上がります。

医師が患者さんに説明するときには、会話力が大切になります。私はよく患者さんから、ありがたいことに「こんなに丁寧に教えてもらったのははじめてだ」とおっしゃっていただきます。

しかし、初診に30分以上時間をかけることはありません。医療面接するときの型は決まっているので、しゃべる内容はほぼ同じです。フィラーはほとんど出ません。

どんな職業でも他人に何かを説明しなければならない状況は必ず生まれます。そのときに、フィラーを連発させてしまうと、聞き手は「この人は頼りないなあ」という印象を持たれてしまいます。

忍耐力・やりきる力が高まる

集中力は、忍耐力と言い換えてもいいでしょう。書き取り練習を10時間やるのは拷問で、やりきることは肉体的にも相当困難です。それに比べれば、リスニング10時間は、立ったり、歩いたり、食べたり、筋トレしたり、お風呂に入ってもできます。

そして、それをやりきることで自信とともに忍耐力が鍛えられます。目標に達するまで、粛々とやり続けられる能力が得られるのです。

理解力（聞き取り力）が上がる

速聴をしていて、「え？　今なんつった？」を繰り返していると、そのうち聞き取れるようになります。そして、3倍速で聞いていた内容を、1倍速にすると、ものすごくゆっくり、明瞭（めいりょう）に聞こえるという錯覚が起こります。高速道路を走っていて、一般道に降りると、速度を遅く感じるのと似ています。理由はわかりませんが、そういう体験が誰でも起こりえます。

つまり、相手の話を聞き漏らさずに理解するスキルが上達するわけです。

以上、実例報告レベルになりますが、私が実感している副次効果です。
みなさんも実際に試して、その効果をぜひお知らせください。

このメソッドをもっとアップデートして、将棋の藤井聡太棋士が、「実は幼稚園でモンテッソーリ教育を受けていた」みたいに報道されたように、「実は、あの有名人は速聴勉強法をやっていた！」と言われるようになるのが私の夢です。

Chapter 3

脳にインプットするための情報整理術

チャプター2では、速聴勉強法が最強の勉強法であることをお伝えしました。聴覚を勉強に取り入れることで、これまでにない、新しい可能性を感じてくださったらうれしいです。

さて、ここからは具体的なメソッドについて解説していきます。すでにチャプター1で速聴勉強法をダイジェストでお見せしましたが、より深掘りしていきます。

まずは、速聴勉強法のステップ1にあたる、記憶すべき内容の取捨選択、仕込み段階について解説します。

正しい教科書の読み方

速聴勉強法のステップ1は、覚える必要がある要素を教科書などから抜き出すところからスタートしました。

つまり、チャプター2で解説した「思い出す練習」をするために、**覚える必要がある要素を教科書を読みながら抽出します。**具体的には、テストに出る、覚えなければならないことをリストアップすることです。

教科書を読むときは、「速く内容を理解する」ことが大切なのであって、「速く黙読する」ことは大切ではありません。

コツは、覚えるべき内容の優先順位、つまり強弱をつけて読むことです。

ここで言う「強」というのは、大切な要素を抽出し、深く理解すること。「弱」というのは、重要性が低い部分を軽くななめ読み、飛ばし読みすること。

次項で具体的に解説しましょう。

過去問から、おおよそ要素を絞り込める

TOEICのリーディングのテストでは、長文のあとに、設問があり、選択肢の中から正しいものを選びます。

このテストを受けるにあたって最も大切なことは、設問の答えを導くことであって、文章を全部読むことではありません。

そこで飛ばし読みをするわけですが、その際には最初に設問を読み、その答えを長文の中から探すような読み方をしなければなりません。そもそも、TOEICは飛

ばし読みを前提として解答時間を設定しているので、まじめにすべての文章を読んで解答していると、確実に時間切れになってしまいます。

質問に関係していない文章はさくっと飛ばすことにより、「早く内容を理解する」ことができるようになります。

論文も同様です。

論文が5000字で書かれていても、読まなければならない部分はせいぜい500〜1000字くらいです。

最初に要約をじっくり読む。結論、解釈を理解したら、その根拠となった図、グラフを見る。そしてその注釈を読む。あとは、結論に至るまでの蓋然性(がいぜんせい)を判断したら、それ以上読む必要はありません。

こうして、読むことになる文字数は500〜1000字程度になるわけです。

残りの4000字は、たいていがその論文のエビデンスとなる先行論文に関する記述だったり、「きちんと、細部まで調べていますよ」アピールの冗長(じょうちょう)な文章だったりします。

同様に、教科書を読む際にも、重要な箇所とそうでない箇所を嗅(か)ぎ分けなければならないのです。

このTOEICや論文の読み方のように、**強弱を意識して読んでいくことで、重要な箇所がどこなのか、自分なりに判断できる**ようになります。

一番簡単なのは、最初にテストの過去問を見ることです。教科書のどの部分がテストに出題されるか、おおよそ目星がつくはずです。

8割方ヤマを張って勉強できる

勉強するにあたっては、何かしら目標がなければはじまりません。東京大学理科1類に合格したい、司法試験に合格したい、期末試験の得点を上げたい、英語の成績を上げたいといった、具体的な目標を立てます。

そして次にやるべきことは、その試験の過去問を用意することです。その過去問の何割正解すれば合格圏の点数が得られるかをチェックします。

では、このゴールから逆算する場合の具体的な作業とは何でしょうか？

たとえば数学の試験で、ベクトルの問題が出題されたとしましょう。さかのぼれる過去問の中からベクトルの問題をすべて抽出し、その問題がプール問題（繰り返し出題されている傾向のある問題）かどうかを調べます。そして、最初はプール問題だけを繰り返し攻略し、試験日まで余裕があったなら、プール問題以外も勉強します。

ちなみに、私の中の仮説に、「**試験の8割はプール問題説**」というものがあります。つまり、過去に出題されたことがある問題の類題が8割くらい出題されるというものです。このプール問題を確実に解答できるようになるには、何を覚えればいいのかを明確にすれば合格率が格段に上がります。

こうしたリサーチを徹底してしておけば、①絶対出出る範囲、②たまに出る範囲、③絶対に出ない範囲について、おおよそ目星がつきます。この場合、③については最初から捨てるつもりで挑んでも問題ないはずです。

ノートはなるべくインフォグラフィックで描く

チャプター1でノートをまとめる理解段階、リリックの作成段階、レコーディングの段階、リスニングの段階をダイジェストに経験してもらいました。

その背景にある知識、知恵を紹介します。

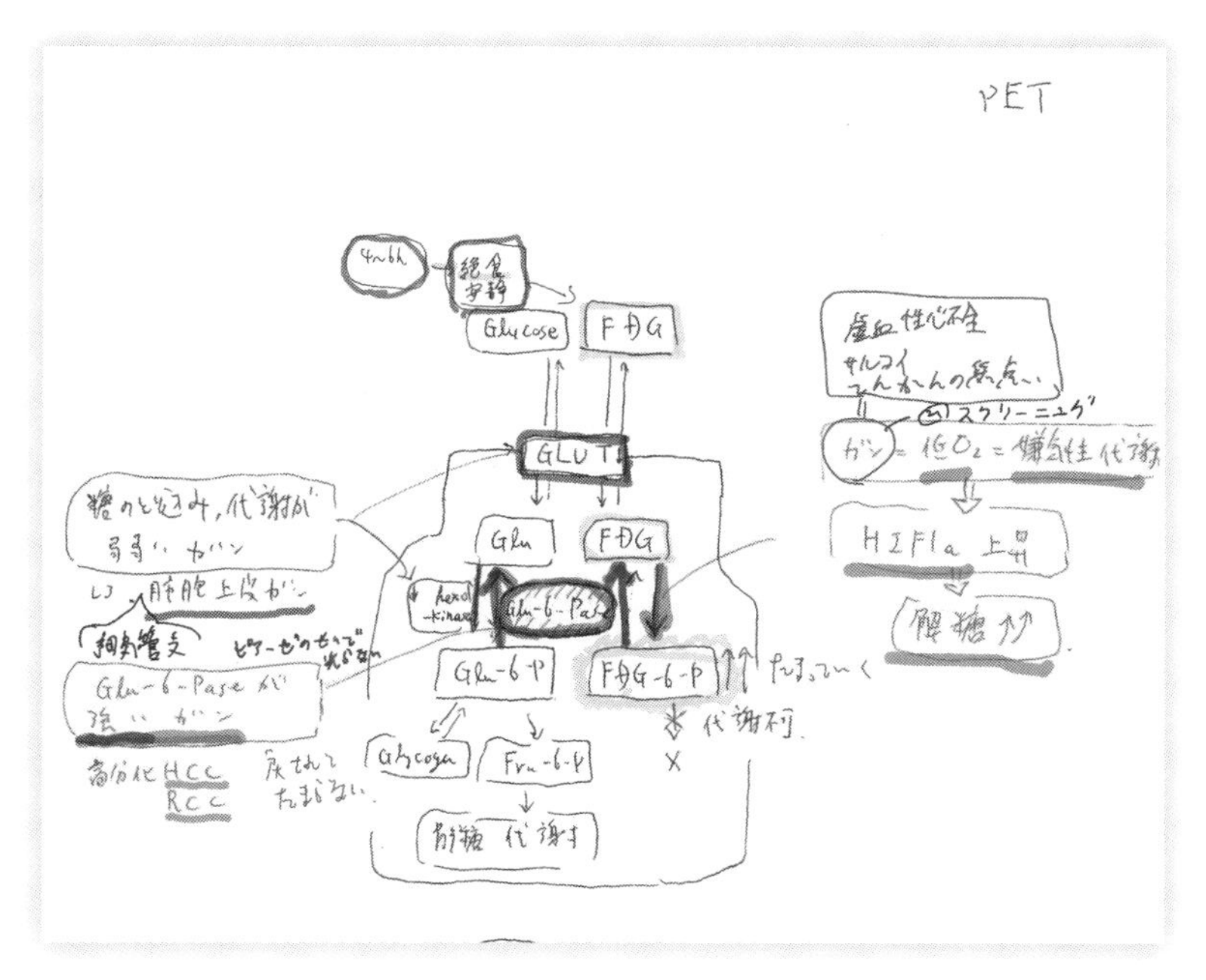

筆者が描いていたノート（インフォグラフィック）の一部。医師国家試験のためにPET検査（がんを検査する方法の１つ）の概念をまとめている。本人以外、ましてや医療従事者でもないかぎり、何が描いてあるのかわからないはず。ノートは自分さえ認識できれば問題ないので、キレイにまとめる必要はなく、このレベルでOK。

まず、ノートについて。

確かに、ノートを書くのは面倒です。でも、一度書いたら、受験日まで使えます。中学校1年で書いたノートを高校3年生の冬まで使い続けるんです。2度と同じことを書く必要がないので、億劫(おっくう)がらずに書きましょう。

この手を動かす作業が理解を深め、記憶を強くしてくれます。

トニー・ブザンの呪文を気にするな

インフォグラフィックというと、マインドマップ(トニー・ブザンが開発した思考をビジュアル化した図)をイメージする人は多いかもしれません。

しかし、開発者のトニー・ブザンの「必ず、テーマを真ん中に書かなければならんのじゃ」『関連しているキーワードは必ず放射状に結びつけなきゃならんのじゃ』『ノートは必ず、横向きでなければならんのじゃ』みたいな呪文を気にする必要はありません。

インフォグラフィックとは、テキストとビジュアル要素の組み合わせという認識でかまいません。**言葉と言葉の間に矢印(↓)を入れるだけでも、立派なインフォグラフィック**です。

軽くマインドマップへのダメ出しをしておくと、アイデアのアウトプットという面では効果的かもしれませんが、インプットにおいては、あまり効果がないような気がします。どうしても視線が泳いでしまうからです。

したがって、インフォグラフィックといっても、あまりデザイン性や美しさを考慮せず、規則的に書くべきです。一番大切なのは、原因↓結果のように一方通行にして記入することです。上から下に矢印をつなげるか、左から右につなげるか。あるいは、時計回りにつなげるか。

インフォグラフィックの素人さんは上から下に矢印をつなげるだけでかまいません。上から下（あるいは左から右、時計回り）に要素が流れているので、ノートを地図のように認識し、視覚的な印象として、想起しやすくなります。その地図はシンプルかつ印象的なほど、頭に保存されやすいものになります。

したがって、論理の流れを一方通行でつなげるというルールを基本とし、できるだけそこから逸脱せずに書くことが重要です。理由は、逸脱してしまうと複雑になり、読みづらくなるから。それに矢印が交差したりするのもダメ。同様の理由で見にくいからです。

シンプルな理解のために、論理の流れを一方通行で書く

例1：左から右へ

原因 → 結果

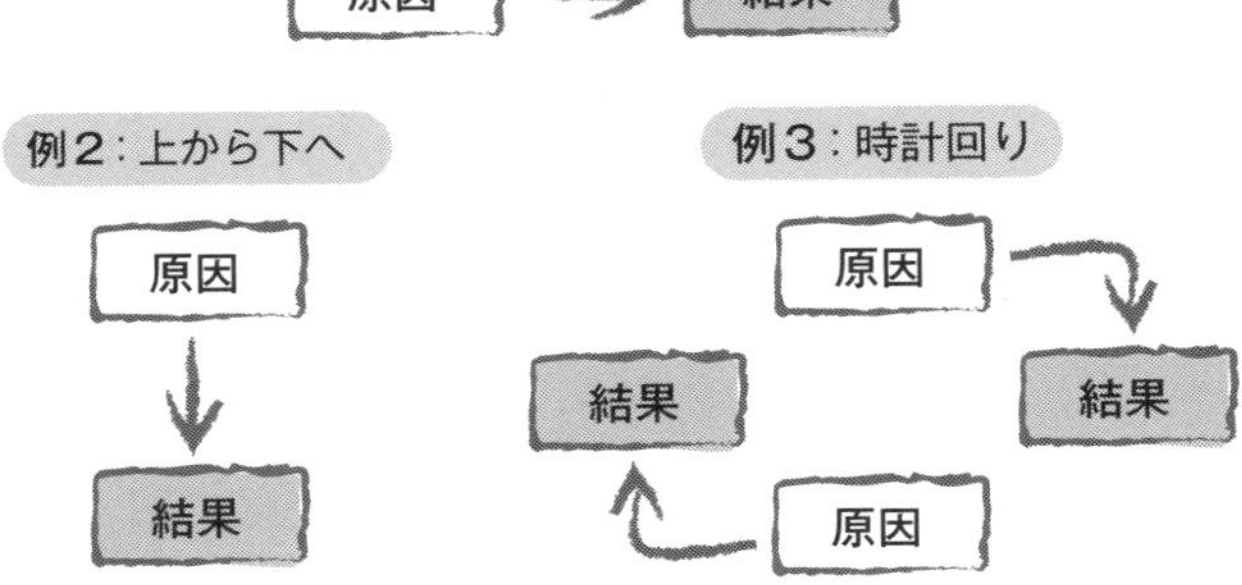

例4：1つの原因から複数の結果が生まれる場合

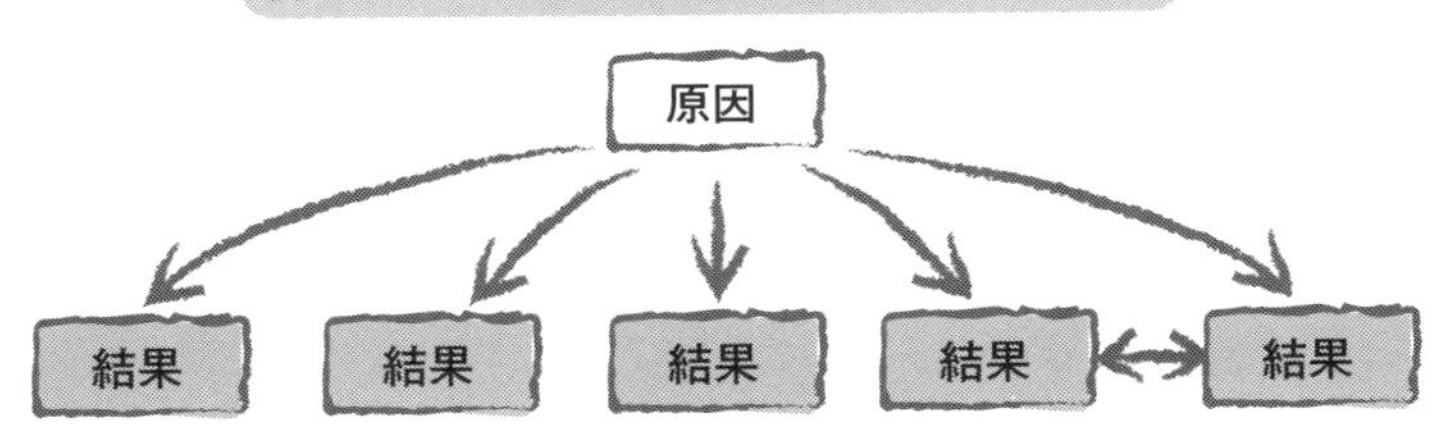

NG例：放射状（マインドマップ的な展開）、矢印がクロスする……など

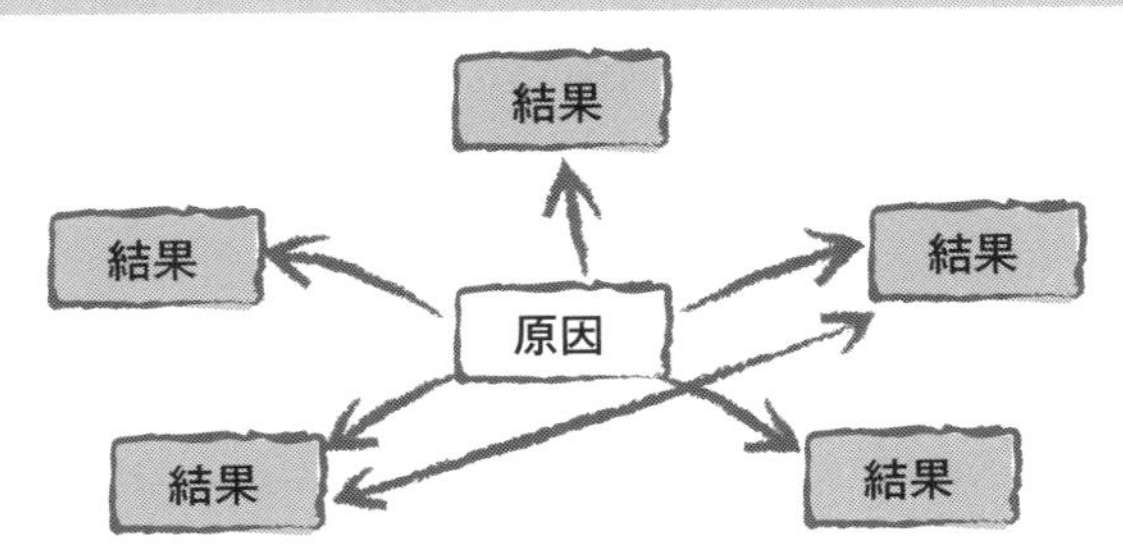

言葉をできるだけ少なく抜き出す

インフォグラフィックは、原因→結果を重視した「理解の枠組み」を、自分の脳に対して「明示」するためのノートとも言うことができます。

わかりにくいと思うので、例示します。

復習のために、歴史に戻ります。

まずは、「理解の枠組みが明示されていない文章（加工前の文章）」を改めてご覧ください。冗長になるので、一部抜粋だけにします。

信長は1575年、甲斐の武田勝頼の騎馬隊を鉄砲隊で打ち破った。これを長篠の戦いと呼ぶ。その翌年信長は京都に近い琵琶湖畔に安土城を築いた。

信長は政治に介入し発言する仏教勢力を抑える一方でキリシタン宣教師を厚遇した。

信長は楽市・楽座の政策を推進して、商人に自由な営業を認め流通の妨げとなる関所を廃止した。
このように信長は旧来の政治勢力や社会制度を打破し全国統一への道を切り開いた。しかし１５８２年、家臣の明智光秀の謀反に遭い京都の本能寺で自害した。本能寺の変と呼ぶ。

次に、「理解の枠組みが明示された文章（加工後の文章）」です。

◆**１５７５年**：織田信長が甲斐の武田勝頼の騎馬隊に鉄砲隊で勝つ。長篠の戦い。
◆**（１５７６年）**：織田信長が琵琶湖に安土城をつくった。
◆**（１５７６年以降）**：織田信長が楽市・楽座をつくった。関所をなくした。
◆**１５８２年**：織田信長が明智光秀に裏切られ、京都の本能寺で自殺した。本能寺の変。

ほぼ覚えなければならない単語（要素）しか書いていません。これが明示された状態の文章です。文章量は最小限になります。

じつは、ここからさらにシンプルに加工することができます。歴史では「年」を書きまくるので、「y」（Year だから）とだけ書けばＯＫ。織田信長が主語になりまくるのであれば、「ノブ」とだけ書いて終わりでいい。馴れたならあだ名をつける、という感覚です。

数学では「定義」という文字がよく出てきますが、画数が多いので、私は「テーギ」と記していました。物理の「エネルギー保存則より」は「Ｅ則より」にしていました。

大切なのは、表記の正確さよりも正しい論理の流れです。

テスト中に頭の中で再現しやすいように、理解を最適化しているのがインフォグラフィックです。論理の流れさえ理解していれば、想起もしやすいのです。

ノートは鉛筆＋3色が基本

色が多すぎると見づらい

鉛筆だけで書いたノートと、色ペンを使ったノートを記憶するのは、どっちが楽だと思いますか?

100人いたら100人、色のあるほうだと答えるでしょう。正解です。

ではなぜ、私たちは色を塗るのをためらってしまうのか。きっと多くの答えは「面倒だから」というもの。しかし、**ここで色を使うことをためらうと、記憶する際のフックが減ってしまうので、余計に面倒くさい思いをする**ことになります。

私の経験上、色鉛筆より、目がチカチカしづらいパステルカラーのゲルインク、あるいは、蛍光ペンがオススメです。

色は、青系、赤系、緑系。3色が基本。それぞれルールを与えましょう。規則性を持たせたほうが、仕上がりが整理されたものとなるはずです。

たとえば、重要度を3段階に分け、それぞれを赤系、青系、緑系といった具合に分けます。

普通のノートだと、裏に色が染み込んでしまうので、ノートはルーズリーフ型にして、表だけに描くことを推奨します。

3色以上はよっぽどの理由がない限り使わないようにします。極彩色のようになり、記された要素の重要度がぱっと見でわからなくなります。

1テーマ1ページの原則

インフォグラフィックは、**1テーマ1ページを原則**としてください。ボリュームが多い場合でも見開き2ページまで。

ノートの裏表でまとめたり、3ページにまたがったりすると、インフォグラフィックの記憶を呼び起こす地図としての性能が落ちてしまうからです。

また、ノートをけちって、1ページに書き込みすぎるのも、同様の理由でオススメしません。リスニング段階で写真的に想起しづらくなり、理解もぐちゃぐちゃになりがちです。

きちんと余白を活かして規則的に整えましょう。

「Deal space with time」という言葉があります。「余白を生かせないと時間がかかる」という意味ですが、つまり、見た目が悪いとパッと頭に入ってこないということです。

たとえば本書でもそうですが、各センテンスの頭は1字下げされています。この空白をインデントと言います。また、本文と箇条書きでは、インデントが変えられています。適切なインデントがある文章と、それがない文章とどっちが読みやすいかは感覚的にわかりますね。

空白はセンテンスの意味、属性を感覚的に伝えることができるのです。

一方、小さな文字で多くの要素を詰め込みすぎると、重要なものと、そうではないものの判別が即座にできず、理解がかなり遅れます。

要素をできるだけ分割して保存

再度、歴史を題材にして説明しましょう。

たとえば、明智光秀の時代であれば、室町時代というフォルダの中に、以下のページが広がるイメージです。

- **室町時代①：**室町幕府の成立と南北朝時代
- **室町時代②：**守護大名の誕生
- **室町時代③：**足利義満と日明貿易
- **室町時代④：**嘉吉の変

- ◆**室町時代⑤**：義政（よしまさ）の政治と銀閣寺
- ◆**室町時代⑥**：応仁（おうにん）の乱
- ◆**室町時代⑦**：明応（めいおう）の政変
- ◆**室町時代⑧**：下克上（げこくじょう）、そして一向一揆（いっこういっき）
- ◆**室町時代⑨**：戦国大名の登場
- ◆**室町時代⑩**：北条早雲（ほうじょうそううん）の活躍
- ◆**室町時代⑪**：武田信玄と川中島の戦い
- ◆**室町時代⑫**：ザビエルの来日と南蛮貿易
- ◆**室町時代⑬**：織田信長の登場
- ◆**室町時代⑭**：桶狭間の戦い
- ◆**室町幕府⑮　安土桃山時代①**：室町幕府の滅亡

このように、15ページほどに細分化します。

右記はユーチューブの動画（eboardchanne「わかる歴史【室町時代】」）を参考にまとめました。

インフォグラフィックは1ページ1テーマで管理

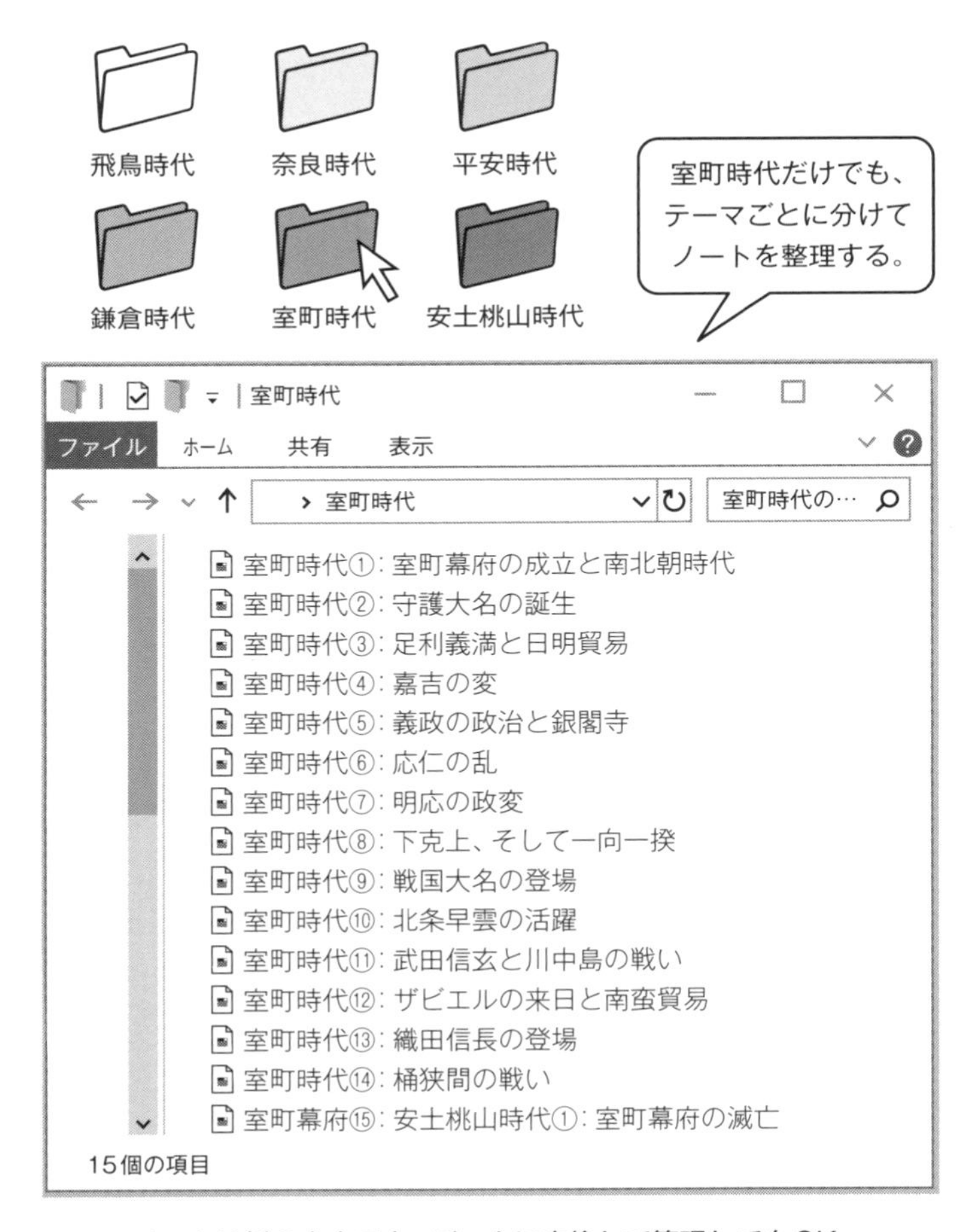

ノートは紙のままでも、データに変換して管理してもOK。
要素を整理する際の考え方は同じ。
ただ、データにしたほうがタブレット端末で見ることができるので便利。

ちなみに、このユーチューブの画面はすでにインフォグラフィックの体裁になっています。

動画をキャプチャーしてノートに貼れば、そのままインフォグラフィックが完成です。

しかも、1本の動画がおよそ1分でつくられており、ナレーションの音声を録音して速聴すれば、それがそのまま速聴勉強法に使えるようになります。いい時代になったものです（ただし、当然のことながらナレーションは記憶用にリリック化されているわけではないので、自分の言葉に改変して使ったほうがいいでしょう）。

私はこのユーチューブ動画のおかげで、「麒麟（きりん）がくる」が一層楽しめるようになりました。

中学、高校の日本史なんて、とっくに忘れていますからね。

スタイルを統一する

インフォグラフィックをつくる際の細かなルールは、上下、あるいは左右の流れで視線が泳がないようにすることと、色数以外、特に設けていません。ただ、自分なりに統一されたルールのもとにカスタマイズしてみてください。

たとえば、見出し語や箇条書きの頭には共通した約物（●や▼、＊などの記号）を入れる。重要な箇所は太いカギカッコで囲むなどです。

繰り返しになりますが、空白を意識的に入れることも大切で、復習したときに、追加情報を書き込みしやすくなるというメリットもあるんです。

字は丁寧に書くことに越したことはありませんが、自分さえ読めれば問題ありません。頭のいい人みんなが、字がきれいというわけではありません。字の美しさと理解力は無関係です。

アインシュタインの書く文字なんて汚くて読めたもんじゃありません。字は自分が読めれば大丈夫です。

適宜、キャラクターなどのイラストを添える

チャプター1では、歴史の教科書を覚えるために、大河ドラマに出演した俳優を戦

擬人化することで印象に残す

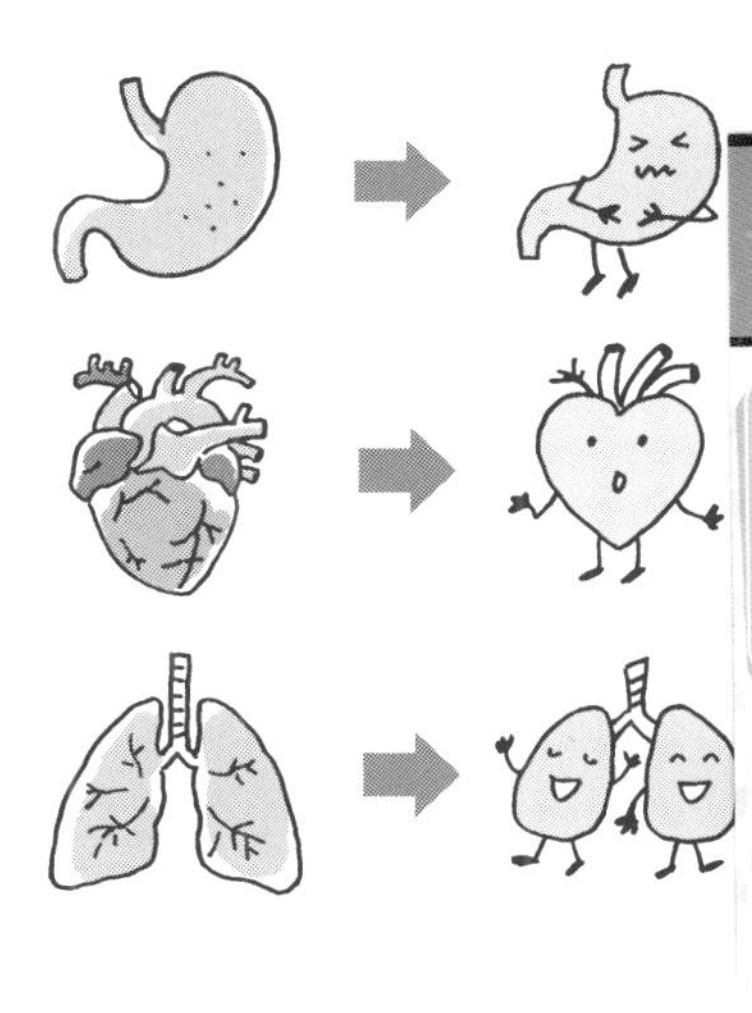

きな漫画のキャラクターなどを積極的にノートに登場させてください。

　私が愛用しているキャラは、NHKの「ニャッキ！」「すごいよ!!マサルさん」や「ピューと吹く！ジャガー」、LINEの「サラリーマン、ムーン係長」。馴れてくれば、パッと描けるようになります。

　絵がどうしても苦手という人は、「(^^)」「(・・)」「(・ω・)」のような、シンプルなアスキーアートから挑戦してみてください。

私は脳、肺、心臓、腎臓などをノートに書くときは、必ず擬人化します。それも笑顔だったり、苦しんでいたり、表情豊かにします。

人間の脳というのは、顔に対して特別に反応する性質を持っているので、印象に残りやすくなります。

板書ノートをどうインフォグラフィックに変換するか

授業中の板書を、リアルタイムでインフォグラフィックに変換してノートに書き写すのは馴れやセンスが必要です。もちろん、ちょっとしたイラストや図を付け加えるくらいはできると思いますが、それをそのまま完成形として使うのは難しいでしょう。

したがって、板書をそのまま書き写したノートを、さらにインフォグラフィックにすることを前提と考えましょう。

工程が増える分、やっかいに思うかもしれませんが、インフォグラフィック化する作業を通すことで、理解の枠組みが整理されるというメリットは手放せません。

では、具体的に、どのように板書を書き写したノートをインフォグラフィックに変換するか、次のように**序破急の3段階で、板書したノートをカスタマイズします。**

◆**序**：黒板に書いてあることをそのままノートに書き写す。
◆**破**：そのノートに、先生が語っていたコメントや、自分なりの解釈、関連するキャラクター、イラスト、グラフをノート書き込む。下書きレベルでOK。思いついたことをどんどん書き込んでいくと、さらに新しい発想が生まれてくる。
◆**急**：そのノートを見ながら、新しいノートにインフォグラフィックとして要素をまとめる。

すぐに使えるインフォグラフィックのフォーマット

より直感的に理解をうながす図のフォーマットを覚えておくと、ノートをまとめやすくなります。

主に、私が使っているフォーマットについて109～110ページで紹介していますｓ。もちろん、ここで紹介しているもの以外にもたくさんありますので、興味のある方はインフォグラフィックやグラフィックレコーディング（ファシリテーターがホワイトボートを使う際の技術）の本を御覧ください。

いきなりインフォグラフィックをつくれと言われても、高いハードルに感じてしまう人は多いでしょう。その場合は、すでにインフォグラフィックの形になっている教科書や資料集を利用しましょう。

単語帳はそれ自体がインフォグラフィックになっていることが多いので、情報をまとめる手間を省くことができます。同様に、マスターしたい学問領域に、すでに資料集があるのであれば、それを利用しましょう。ほとんどの科目にあるはずです。

教科書から新たにインフォグラフィックをつくる手間を考えたら、すでにインフォグラフィック化されている資料集に教科書の内容を補ったほうが手間が省けます。

教科書や資料集の1ページ1ページをスキャニングして、頭の引き出しに保存するイメージです。

すぐに使えるインフォグラフィックのフォーマット

●樹状型

左から右、あるいは上から下に向かって、矢印が枝分かれしていくインフォグラフィック。覚えたい対象をざっくり羅列して、それぞれがどう結びついているかを整理したいときに使う。上から下まで羅列するスタイルであると、1枚のA4ノートでは入らない場合があるが、樹状型であればたいてい1枚のA4に収まる。

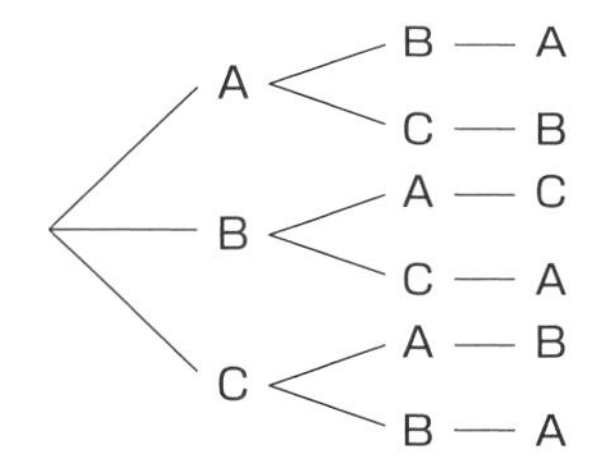

●原因→結果

矢印が論理的に流れていくインフォグラフィック。原因と結果で強固につながっていたり、数学、物理、化学、生物などの論理構造がしっかりつながっている場合に使う。

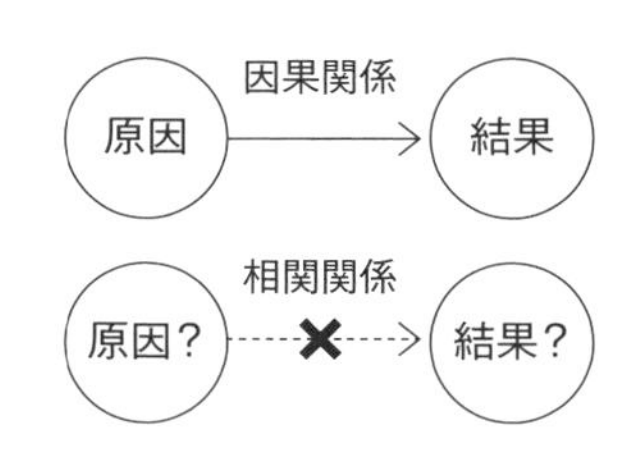

●ピクトグラム

インフォグラフィックという言葉を聞いて、イメージするものはたいていがこれ。概念を単純化でき、仮に言語を知らなくてもイメージだけで判断できる強みがある。

●テーブル型

学問分野でよく使われるインフォグラフィック。四角くて、横軸と縦軸の項目があり、それぞれの項目ごとに内容を加えていく。エクセルやワードでつくりやすいのが利点。

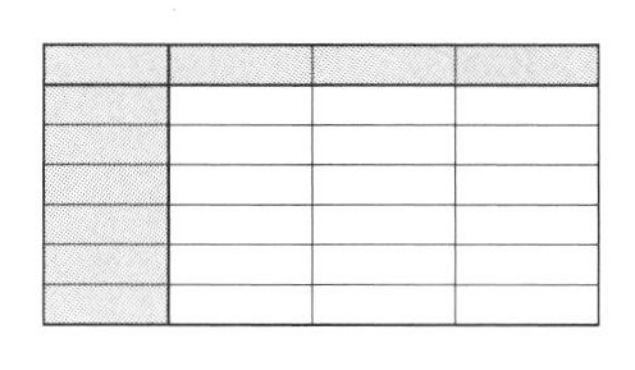

●IF場合分けチャート型

プログラミングのコードのインフォグラフィック。思考の判断をすべて YES か NO かで判断し、上から下に論理を流す。「原因→結果」のインフォグラフィックのサブタイプ。筆者は医療における診療ガイドラインを作成する際に用いている。

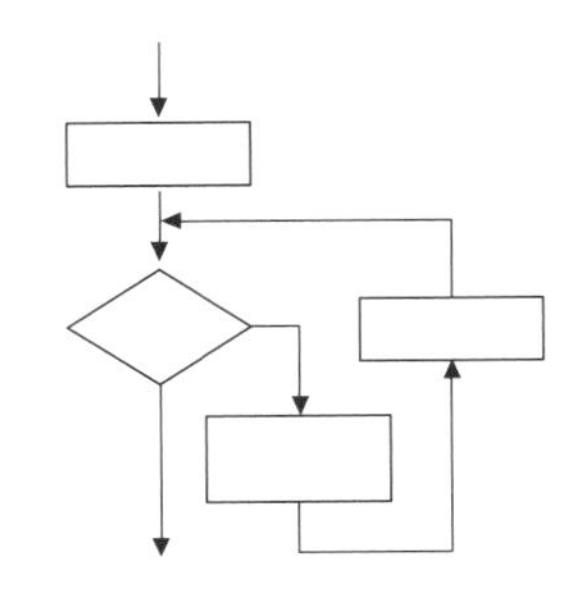

●棒グラフ型、円グラフ型

サイエンスの領域でよく使う。割合や頻度などを一目瞭然にする。

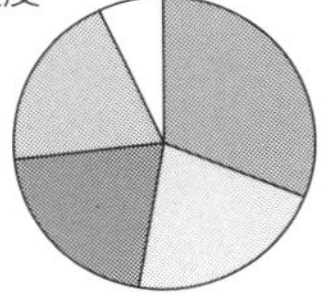

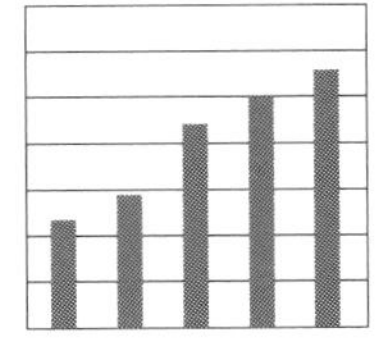

●x軸y軸平面グラフ型

x軸とy軸のあるグラフ。数学で使いまくる。ポジショニングマップとしても使える。

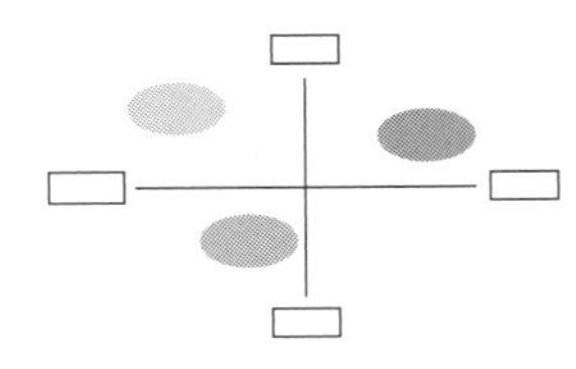

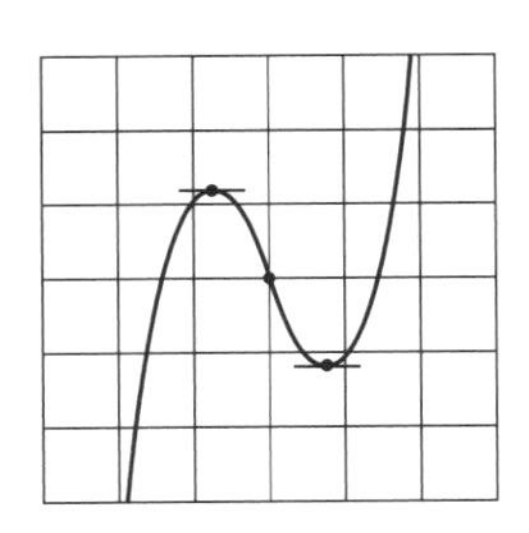

●漫画型

起承転結のシンプルな4コマと、複雑なコマ割りの2パターンがある。日本が誇るインフォグラフィック。分厚くて難解なビジネス書でも、その漫画版を読むとおおよそ概要がつかめ、「読んだ気」になれる。

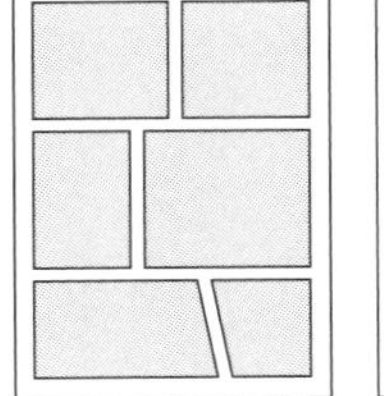

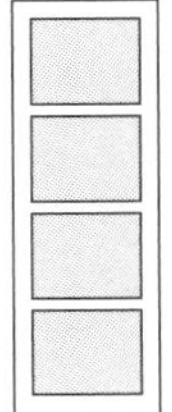

ただ、やはり1ページの情報量はノートにまとめるときと比べて多くなること、リックなどを書き込むスペースが少ないというデメリットはあります（暗記科目以外はリリックをつくる必要はありません）。したがって、リスニング段階における記憶の地図としての役割は弱くなることは否めないでしょう。

インフォグラフィックを描く手間を省くか、記憶の効率を取るか、悩ましいとは思いますが、状況に合わせて使い分けていただければと思います。

Chapter 4

記憶を定着させるための言葉の選び方と遊び方

メロディック・イントネーション・ラーニングとは？

チャプター1で解説したステップ2の「リリックの作成段階」を深掘りしていきます。

すでに述べたように、覚えたいことをリリック化するのは、メロディック・イントネーション・ラーニングをするためです。メロディとリズムに合わせて、歌詞（語呂合わせ）を口ずさみ、なんでも覚えてしまおうという勉強法です。

これは特別な勉強法というわけではありません。

みなさんはすでに、「ABCソング」でアルファベットを覚え、「曜日の歌」で曜日を英語で覚えましたよね。これはメロディック・イントネーションを使っています。

九九計算は見事なメロディック・イントネーションです。韻を踏んでいるからリズミックに暗記できます。日本人は世界的にみても、九九計算の習得率が異常に高いのですが、これはメロディック・イントネーションで丸暗記できるからです。

Eテレの幼児向け番組「いないいないばあ」「おかあさんといっしょ」もメロディック・イントネーションがたくさん使われています。

印象的なテレビCMも、メロディック・イントネーションを用いて、視聴者に印象を刷り込んでいます。

これを暗記に使わない手はありません。

そしてメロディック・イントネーションを利用するためには、リリック（歌詞）を考えなければなりません。

連想や語呂合わせをしたり、リリックをつくるのは面倒に感じるかもしれませんが、**遊び感覚でできる**ようになります。創造的な営みは中毒性（のめりこむようになります）があります。うまいライム（韻踏み）ができたときは、喜び、楽しさといった感情が生まれます。

億劫な反復作業であった「お勉強」が、メロディック・イントネーション・ラーニングに変わることで楽しくなるのです。

リズムに乗せるための情報のまとめ方　リリック化するまでの流れ

では、まずはどのようにリリックをつくっていくかを解説します。

具体的な手順は次のとおりです。

リリック化への具体的な手順

①リストアップ

覚えるべき要素をリストアップする。あるいは、覚えなくても導き出せる内容はリストから除外する。

②インスピレーションで変換

リストアップした要素から浮かんでくるインスピレーションを大切にする。インスピレーションを得るためのスキルは、たとえる・茶化す・馬鹿にする・面白おかしくする……など。

③文章にする

連想したものを、主語述語の順番に変えて、文章にする。文章は動きがあって、荒唐無稽(こうとうむけい)なほうがいい。

④リリック化

リズムに乗せやすいように適宜文章に手を加える。

お気づきの方もいるかもしれませんが、①〜③は本来ステップ1で行われる作業であり、ステップ2で行われるのは④のみになります。

しかし、④でリリック化するには、どうしてもこのゴールを意識したうえで①〜③の作業を経なければなりません（ただし、馴れれば①〜③で具体的な作業をせずとも、いきなり④のリリック化ができるようになります）。

したがって、覚えるべき要素のピックアップからリリック化まで（要するに①〜④）を一連の流れとして解説していきます。

リリック化の具体例

さて、①で覚えるべき要素をピックアップするのですが、当然のこと、贅肉（ぜいにく）を徹底的に削（そ）ぎ落とした分、言葉として味気ないものです。したがって、この無機質な要素を脚色して、よりインパクトのあるものにしていきます。

そのために必要なのが②。最初に連想したことを大切にしてください。こればかりは、その人のボキャブラリーや思想体系に依拠するしかないので、法則化できないというか、正解はありません。要はなんでもアリなんです。
たとえば、次の知識を覚えたいとしましょう。人生において、この知識を覚えなければならない状況が来ることは、馬好きな人以外はほぼないと思いますが、そうした遠くに感じる知識をあえて例にしてみました。

馬の歩き方は、「常歩（なみあし）」「速歩（はやあし）」「駆歩（かけあし）」の3種類に分けられ、この順番でスピードが上がっていく。そして、全速力で走っている状態を「襲歩（しゅうほ）」という。

---

①リストアップ

「常歩（なみあし）」「速歩（はやあし）」「駆歩（かけあし）」を、順番通りに覚えるわけですが、「あし」が3連発で続くので省きます。つまり、「なみ」「はや」「かけ」「しゅうほ」という要素をリストアップします。
ここからみなさんは、どんなイメージを持つでしょうか。

②インスピレーションで変換

私は「なみ」というと、『週刊少年ジャンプ』で連載されている大人気漫画「ワンピース」のキャラクター、ナミを思い浮かべます。

このように、なるべく具体化させましょう。

③文章にする

次に、変換した要素を並べて、それらの要素から最初に連想する奇妙な物語を考えます。

ナミが主語で「はや」は「速い」で副詞、「かけ」は「駆ける」で動詞に変換できます。「しゅうほ」は機関車の擬音語「シュポ」に変えられます。

右記の4つの要素を文章になるように並べてみましょう。

――ナミは速く、駆ける。シュポ。――

これではただの文章なので、リズムとメロディが乗りやすいように工夫しなければなりません。

④リリック化する

リリックにするというのは、歌いやすく、語呂を合わせて、韻を踏み、リズミックにすることです。

――ナミがはやーく、かけていく。シュポシュポ、シュッポッポ。――

ここまで変換させると、想起が容易になります。リスニング段階での反復回数を極端に減らせるので、勉強時間の削減につながります。

まじめに、真剣にふざける　「本当にこれでいいのか？」と迷っても…

もう1つ、馬術に関する知識を例に解説しましょう。

先ほど覚えた馬の歩き方、「常歩（なみあし）」「速歩（はやあし）」「駆歩（かけあし）」「襲歩（しゅうほ）」の英語「ウォーク」「トロット」「キャンター」「ギャロップ」を覚えたいとします。

①リストアップ

「トロット」「キャンター」「ギャロップ」（ウォークは「Walk」であり、簡単なので覚える必要なし）。

②インスピレーションで変換

「トロット」↓「となりのトトロ」

「キャンター」↓「カンタ」

「ギャロップ」↓「ギャル男」

③文章にする

となりのトトロに出てくるカンタは、成長して、ギャル男になった。

④リリックにする

となりのトトロ、カンタはギャル男

最終的に、このリリックを自分でラップしながら、レコーディングします。

普通、この①〜④のプロセスにはじめて挑戦するとき、**「本当にこれでいいのか？」と疑心暗鬼になるわけですが、安心してください。**

リリックはなるべく動きがあり、荒唐無稽であり、ストーリーがあり、色彩があり、言葉の緩急があり、リズムにのりやすいものを意識しましょう。

有名なキャラクターを多用する枕詞（まくらことば）や、オヤジギャグ的な掛詞（かけことば）を使ったりするのも効果的です。

また、自明すぎて覚える必要のない要素、導き出せる要素はリリックに入れる必要はありません。

従来から使われてきた連想・語呂合わせというテクニックは、このメロディック・イントネーション・ラーニングの一種です。

抽出した要素に対して、どう自分の持っている知識と結びつけ、まじめに、そして真剣にふざけ、こじつけ、覚えやすくするかが大事なのです。

そしてリズムに乗せやすくするために、リリックを七五調にして韻を踏ませることができれば完璧です。

興味のない教科書を楽しく読むスキル① ディスる・茶化す

では、ここからまじめにふざけるスキルについてまとめていきます。これもアクティブ・ラーニングの一種です。

まずは「ディスる」。

もともとは「無礼・失礼」という意味の英単語「Disrespect」から来ているネットスラングですが、教科書の覚えたい箇所をディスりながら読んでください。

この手法が一番頭や才能を使いません。

とにかく勉強しているという自覚を持たないで淡々と、粛々（しゅくしゅく）と、読んだ内容を理解し、茶化し続けます。

難しい内容や自分の知らないことを読むのはストレスがたまるので、わかりにくい

説明に対して徹底的にディスる・茶化すのです。そうすることで、覚えたい要素に対して印象をつけられるし、ストレスの発散にもなります。

また、ツッコミには単純にディスる以外にも、さまざまな種類が存在します。客観的、共感的なものもツッコミは内包しています。言い換えることで、ボケている箇所を明確にするのが、ツッコミの役割です。

自分の脳内に、お笑い芸人の霜降り明星の粗品（そしな）（ツッコミ）を憑依（ひょうい）させて、ひたすら、せいや（ボケ）ならぬ教科書の筆者にツッコミを入れるイメージです。

例示してみましょう。教科書の気取った文章や小難しい熟語にツッコミを入れてみます（もちろん、ツッコミを書き出す必要はありません。頭の中だけでツッコミをしてください）。

◆**教科書の記述**：聖武天皇の治世になると、疫病や天災がたびたび起こった。

◆**ツッコミ①**：ちちちち、ちせいって！　一生に1回しか使わない！「一番偉くなったときに」でよくね？

◆**ツッコミ②**：ちちちち、ちせい！　いいよね。響きがいい。上品だよね。天皇が主語のときについつい追加したくなるよね。「一番偉くなったときに」ってことね。

◆**教科書の記述**：税を逃れるため、口分田を捨てて、逃亡する農民も現れた。

◆**ツッコミ①**：くくく、くぶんでんって！　一生使わない！　国から与えられた農地でよくね？

◆**ツッコミ②**：くくくく、くぶんでん！　口の形があたかも、田（4つの口）のようでいい言葉だねぇ！　中国の均田制からきてるんだねぇ。均等に分けられた農地なんだねぇ。

◆**教科書の記述**：朝廷は開墾を奨励し、743年に墾田永年私財法を出して、新しく開墾した土地を私有地にすることを認めた。

◆**ツッコミ①**：なじみ（743）の土地だよ。こんでん、えいねん、しざいほー。絶対に、韻を踏みたかっただけじゃん。これで、ええねん。私の財産ですぅ法。

◆**ツッコミ②**：なじみの土地だよ。（743）こんでん、えいねん、しざいほー。EN、ENで韻を踏んでいるねぇ。リズミカルでいいねぇ。これでん、ええねん。ぼくの財産。

小難しい文章やいらつく説明は、ボケているのだ、ボケ倒しているのだと思って読んでください。ダウンタウンをイメージしてください。教科書とは、浜ちゃんのツッコミを待っている松ちゃんです。

こうして、ツッコミを入れるうちに理解が深まります。なぜなら、自分事と思えなかったほど遠かった要素が卑近になるので、変換するインスピレーションが生まれるようになるからです。

興味のない教科書を楽しく読むスキル②　こじつけ・たとえ・パロディ化

自分の人生や経験、興味とかけ離れた知識ほど、覚えにくいものです。

それをより身近に実感するために必要なのが、先ほど解説した「ディスる」以外に代表的なものとして、「こじつけ・たとえ・パロディ化」があります。

一度たとえたら、そのたとえを利用して、無理やりこじつけます。レッテルを貼って、いじりたおす。

たとえを利用することで、そのたとえが持っている属性を容易に連想することができるため、芋づる式に思い出せるようになります。

◆**覚えたいこと：**マキャベリ。
◆**こじつけ・たとえ：**「マキャベリ」→「芽キャベツ」。頭が五厘刈りで芽キャベツのようだ。

◆**覚えたいこと：**糖尿病のＨｂＡ１ｃ（ヘモグロビンエーワンシー）という値の正常値。ざっくり、７未満が正常値で、７以上が異常値。８以上が危険な値。
◆**こじつけ・たとえ：**Ａ１ｃ（エーワンシー）の値を体温にたとえる。37度未満は正常、37度以上あると病気を疑い、38度で治療しないといけない。Ａ１ｃ（エーワンシー）が７以上で黄色信号、８以上で赤信号。

◆**覚えたいこと：**都道府県の形と名前。

◆**こじつけ・たとえ：**「東京都」→「メダカ」、「北海道」→「エイ」……と、都道府県の形をすべて例える。

◆**覚えたいこと：**英単語の動詞「Ｇｏ」の、日本語にはない3つの語感。

◆**こじつけ・たとえ：**「出発」→「おりゃああああああああああ」、「進行」→「うねうねうねうねうねうね」、「到着」（目的地、範囲）→「どっこいしょ」。英語教師の大西泰斗先生のアイデアです。語感オノマトペ（擬音語、擬態語）と相性がいいそうです。ぜひ、オノマトペを日本語訳に入れる癖をつけてください。それが語感です。語感が身につくと、安心して英語が話せますよ。

出発の例文：「go abroad」→外国へ「おりゃぁ！っと」行く。

進行の例文：「This train goes between Tokyo and Yokohama.」→この列車は東京と横浜の間を「うねうねっと」走っている。

到着の例文：「The gold medal went to his rival.」→ゴールドメダルは彼の競争相手の手に「どっこいしょと」帰した。

◆**覚えたいこと**：「帰無仮説（きむかせつ）（統計学の仮説検定において、その当否が検定される仮説。否定されることを前提として立てられ、この仮説が棄却されると対立仮説が成立する）」という言葉と意味。

◆**こじつけ・たとえ**：ノリツッコミ。一度、ボケに対して、「そうそう、そうだよね」と同調しつつ、最後に「そんなわけあるか」と訂正する。この論理を統計においても応用して、小難しく命名したのが帰無仮説。

このスキルは「これって、あれと似てる！」というインスピレーションで**「Aという特徴」をまったく別の、しかしすでによく知っている「Bという特徴」にたとえて、記憶を助ける**というスキルです。

お笑い芸人の有吉弘行（ありよしひろいき）が、よく芸能人にあだ名をつけますが、やってることはあの要領です。お笑いコンビ品川庄司の品川祐（しながわひろし）に対して「おしゃべりクソ野郎」、タレントのベッキーに対しては「元気の押し売り」とあだ名をつけましたが、こじづけ・たとえとはいえ、妙な納得感がありますよね。

興味のない教科書を楽しく読むスキル③　イメージ化

文章から得られるイメージを、なるべく具体的に映画やドキュメンタリーのようにリアルにイメージすることも有効です。

◆**覚えたいこと：**○○という病気は男性より6倍、女性に多い。40代が多い。
◆**イメージ化：**診察室が熟女だらけ。

◆**覚えたいこと：**「傾聴する」という言葉の意味。
◆**イメージ化：**耳ダンボ。

◆**覚えたいこと：**「薫陶(くんとう)を受ける」という言葉の意味。
◆**イメージ化：**小山薫堂(こやまくんどう)（訓導(くんどう)）先生に感化され、生き方を京都風に変える。おいでやす。

特に最後のイメージは、こうして文章にすると荒唐無稽でバカバカしいですが、みなさんも普段、さまざまな妄想をしているはずです。

その妄想力を、ぜひ勉強にも注いでみてください。

興味のない教科書を楽しく読むスキル④ 単純化

実はこれが一番大切なことなのかもしれません。

頭がいい人と悪い人の違いはここ。

単純化させることができればどんな学問も容易に理解できます。

理解できれば覚える対象が少なくなるので、理解していない人よりも少ない努力で記憶できるのです。

そして、メロディック・イントネーションに乗せれば、さらに容易に覚えられます。

工夫がいりますが、なんとか小難しい言葉を平易にざっくりと言い換えてみるのです。

文系のざっくり例

◆織田信長が台頭する。↓織田信長が強くなる。
◆ブレインストーミングする。↓みんなで一緒に考える。
◆ゲームチェンジャーになる。↓流れを変える起爆剤になる。

理系のざっくり例

◆歳差運動（さいさうんどう）（自転している物体の回転軸が円を描くように振れる現象）をする↓コマまわしで軸がぐるんぐるん回り続ける。
◆4％が発症する↓数％に出る。
◆40～60％にみられる↓半分に出る。
◆信号強度が上がる↓白くなる。ぴかっとする。
◆がんのステージ1～4↓5年後に生きている割合を4分割し、ステージ1が最上段（80％以上）、ステージ2が上から2段目（60％）、ステージ3が3段目（40％）、ステージ4は最下段（20％以下）。

これはリリック化するための4つのプロセス（116ページ）の①リストアップにも使える手法です。複雑な内容をそのまま受け取ってしまうと、理解するまでの過程も複雑になってしまいます。**できるだけシンプルにとらえることで、脳への負担を減らしましょう。**

興味のない教科書を楽しく読むスキル⑤ 語呂合わせ

言わずとしれた技法、語呂合わせ。

歴史の年号を覚えるには、この語呂合わせが最適な勉強法です。日本人ほど、自分の国の歴史の年号を記憶できる国民はいないと思います。それは日本語がとても、語呂合わせをつくりやすい言語だからです。

「鳴くよ（794）、ウグイス、平安京」という語呂合わせは、語呂合わせという領域を超えて、ポエムのような美しさを感じませんか。歴史の年号の語呂合わせに関しては、すでに昔からデータベースがつくられており、自分でつくり出す必要がありません。名作がたくさんありますので、それは別の本に譲ります。

問題なのは、語呂合わせが存在しない学問領域で、どう語呂合わせを利用するかです。

肝に銘じていただきたいのは、全部の項目を語呂合わせする必要はないということです。テストに出る内容で、どうしても覚えられないものだけを語呂合わせするのです。

そう、**語呂合わせは最終手段**なのです。

「覚える対象を抽出する」という大原則がないと全部覚えなければならないという発想になります。導けることは覚える対象にしないという法則を忘れないでください。

難しい2桁の数字を暗記する方法とは？　トランプ記憶法

歴史の年号のように、数字の羅列を覚えなければならない場面は多々あります。

しかし、それらを一瞬で覚える方法があります。

代表的な数字の記憶法としては、「いい国つくろう鎌倉幕府〈現在は「いい箱〈1185〉つくろう鎌倉幕府」が主流〉」という語呂合わせによる記憶法です。みなさんも、小学校のときにお世話になっているはず。

この方法にも弱点があります。数字が2桁だと語呂合わせがつくりにくいことです。

たとえば、１９００年代は日本史でも世界史でも覚えなければならない年号が多いですよね。

したがって、１９１９年、１９２１年など、重要な歴史的出来事がてんこ盛りです。１９００年代の数字で語呂合わせをつくると、「いく〇〇」という語呂だらけになってしまいます。この２桁だけで語呂をつくるのは、発想しにくいんです。文字数が２文字ですからね。21だと「にい」「ずい」「ふとい」「つい」くらいしか語呂合わせできない。

そういうわけで、２桁の暗記を強いられる試験には使いにくい。

そこで登場するのが**トランプ記憶法**です。

トランプを適当に並べて、その順番を記憶する世界チャンピオンはトランプ１枚１枚に対して、明確なイメージを持っています。

たとえば、ハートのエース、ハートの２、スペードのキング、という順番でトランプが並んでいるとしましょう。

この順番を、トランプ記憶世界チャンピオンは次のように、自分にとって記憶しやすい何かにたとえて覚えます。

まず、ハートのエースに「前田敦子（まえだあつこ）」、次にハートの２に「大島優子（おおしまゆうこ）」、そしてスペードのキングに「山ちゃん」「山里亮太」というイメージを持たせます。

そして、「前田敦子が大島優子と抱き合って、お互いをたたえ合うところをじっと見る山里」というシーンを想像して覚えるのです。

2桁の数字すべてにイメージを植えつける

数字を覚えるスキル

トランプ記憶法を応用すると、無意味な数字の羅列でも覚えられるようになります。それは00〜99までの2桁の１００個の数字に最初からイメージをつけ、それをベースにして数字を連想する方法です。

数字には、最初に思いつく強力なイメージを当てはめてください。たとえば、次のようにします。

01　ソフトバンクのお父さん犬、わんこ
03　さんま
09　野球

11　サッカー

思いつくままに00～99までつくりましょう。そして、それを壁に貼り、いつでも思い出せるようにすると、さまざまな教科に応用できるようになります。

具体例で解説します。次のことを覚えたいとします。

覚えたいこと：血液所見におけるNa（ナトリウム）の正常値は136～145。

ここから2桁の数を次のように抜き出します。

01　36　01　45

常識的に考えて、下限と上限が100～199の間にあるので、上限の01は無視できます。

そして、それぞれの2桁の数字を次のようにイメージしたとします。

01　わんこ
36　北島三郎
45　四国

そして、肝心のNa（ナトリウム）については、次のようにイメージしたとします。

Na（ナトリウム）→名取裕子

ここまでできたら、もう覚えられたも同然です。簡単にストーリーにできますね。

名取裕子（Na）とお父さん犬（01）と北島三郎（36）が仲良く、四国（45）を旅している。お遍路さんである。

参考：2桁数字イメージ表（筆者の場合）

00	01	02	03	04
レイ・零号機	わんこ	にんじん	さんま	ヨット
05	06	07	08	09
ゴリラ	ロケット	ナス	蜂	野球
10	11	12	13	14
銃・ピストル	サッカー	中2	13日の金曜日・ジェイソン	いよちゃん・松本伊代
15	16	17	18	19
イチゴ	イチロー	稲川淳二	青春	郁美
20	21	22	23	24
二十歳の約束・献血	兄ちゃん	白鳥の親子	マイケル・ジョーダン	ジャック・バウアー
25	26	27	28	29
NIGO	二郎ラーメン	ニーナ	甚八	肉
30	31	32	33	34
去れ	サイ	サニブラウン	サンサンサン	三枝師匠・桂三枝
35	36	37	38	39
サンゴ礁	北島三郎	三男坊・だんご3兄弟	散髪屋	サンキュー
40	41	42	43	44
痴れ！	良い！	死に	資産運用	獅子・ライオン
45	46	47	48	49
四国	伊東四朗	椎名桔平	ヨンア	子宮

50	51	52	53	54
コレラ	ランディー・ジョンソン	コニーちゃん	誤算	コシミハル
55	56	57	58	59
ゴジラ松井	稲垣吾郎	コナ・コーヒー	ご飯	悟空・孫悟空
60	61	62	63	64
ムロツヨシ	甘栗むいちゃいました	ムニムニ	むさ苦しい	虫・手塚治虫
65	66	67	68	69
婿	ムム・川平慈英	虚しい	ロンハーマン	ロックンロール
70	71	72	73	74
なおちゃん	七色・レインボー	ナニ	NASA	梨
75	76	77	78	79
名護	narrow	スロットマシーン	軟派	泣く
80	81	82	83	84
晴れ	肺	ハニー	破産	橋
85	86	87	88	89
箱	波浪	花	母	吐く
90	91	92	93	94
呉	杭	邦子・山田邦子	草	櫛
95	96	97	98	99
救護	苦労	苦難	クッパ	ナインティナイン・岡村・矢部

こうしておけば、なかなか忘れません。

準備は面倒ですが、ほぼ一瞬で記憶できます。覚えられず苦労していたことが、あっさりと覚えられてしまうと感動しますね。

私にとって、最初に浮かんだのが139～140ページの表の単語ですが、人によって思い入れは異なります。

たとえば、「51」のランディ・ジョンソンって言われても、野球を知らない人にとっては、さっぱりですよね（ピッチャー。ダイヤモンドバックス所属時代の背番号が51。永久欠番に指定されている）。自分の知識や経験、ボキャブラリーに合うようにイメージを決めてください。

理系の問題で覚えるべき「ピタゴラスイッチ」

ここまでは主に、歴史や医学を例題にして解説してきました。したがって、「速聴勉強法は、数学などの理系科目には使えないのではないか？」という疑問をお持ちの読者もいるのではないかと思います。

しかし、安心してください。数学、物理、化学でもやり方は同じ。理解&暗記の両輪科目である理系科目でも、結局、努力の質は変わらないのです。

これを理解できれば、日本語を使いこなせるみなさんは誰でも、高校までの数学で高い偏差値を取ることができるようになります。実際、私は高校時代の数学の偏差値は40程度でしたが、これからお伝えする方法を用いたことで、70以上になりました。

まずは社会科目、歴史の問題と比較してみましょう。

Q. 平安京はいつごろできましたか?

A. ７９４年

このとき、私たちの頭の中では、こう思考するはずです。

「えぇぇっと……語呂合わせで、『泣くよ(７９４)うぐいす平安京』だから、７９４年だ」

このような、長期記憶に入っている「語呂合わせのリリック」(思い出しやすく最適化された記憶）を引っ張り出してきて、答えを出します。

さて、これが数学になるとどうなるでしょうか？


数学において、まず前提になるお話をします。

数学には「関数」という言葉がありますが、これは「ファンクション」「変換」「マッピング」「写像」という言い方もされます。「関数」ではなく、「函数（かんすう）」という漢字表記もあります。

なぜ、こんなにもさまざまな言い方があるでしょう。おそらく、この言葉の概念が難しいから、さまざまな言い換えを駆使したのではないかと想像します。

私はこの関数（ファンクション、変換、マッピング、写像、函数）を、**「ピタゴラスイッチ」という非常に卑近な言葉に変えて考えています。**

「ピタゴラスイッチ」とはＥテレの４〜６歳児を対象にした「考え方」を育てる番組です。この番組では、ビー玉１つを転がしはじめると、ドミノのようにさまざまな仕掛けが動き出す次のような装置が毎回登場します。

①「ビー玉が落ちて、ドミノを倒す」→②「ドミノが倒れて、巻き尺が巻き取られる」→③「巻き尺が巻き取られると、レコードプレーヤーのスイッチが入る」→④「レコードプレーヤーの上のピタゴラスイッチという文字が一列に揃う」

この一連の流れを1つの論理構造とするならば、途中で4回の「論理の変換」、つまり「ピタゴラスイッチ」が行われていることになります。

お気づきかもしれませんが、この「ピタゴラスイッチ」は、歴史の年号を導くための語呂合わせ（泣くようぐいす平安京）に変換する構造と同じなのです。

「ピタゴラスイッチ」に名前をつけて理解を深める

「ピタゴラスイッチ」について、もう少し具体的に解説しましょう。

たとえば、あなたが自動販売機でジュースを買うとします。このとき、お金を入れてスイッチを押すという行為を x、ジュースとお釣りが出てくるという現象を y

関数と「ピタゴラスイッチ」の関係

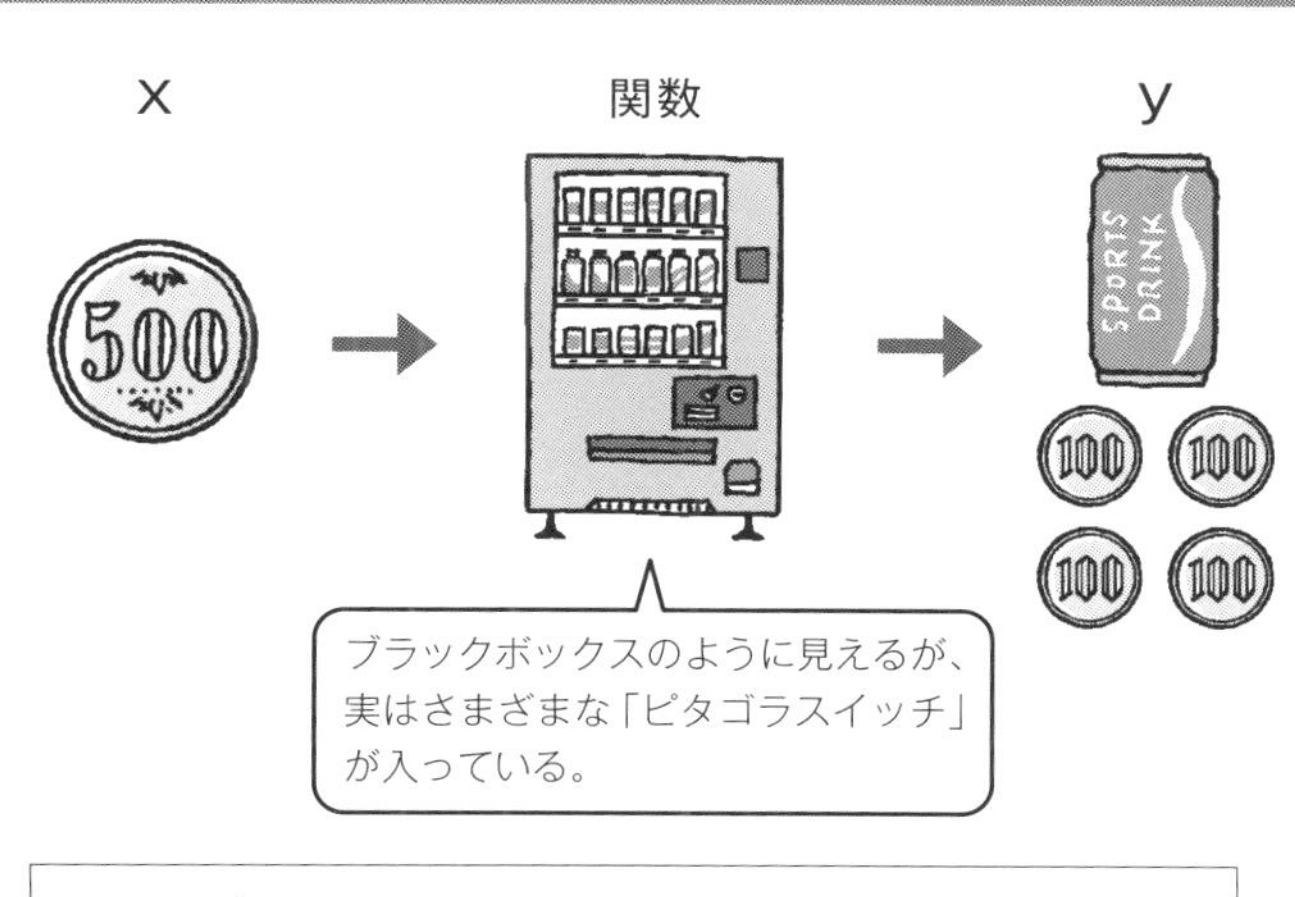

x → f（function〈関数：ピタゴラスイッチ〉）→ y

$f(x) = y$

とします。xとyに対応関係があり、xの値が定まるとyの値が従属的に定まるので、これも一種の関数になります。

数式にすると上のようになります。

数学をはじめとした理系科目を学ぶコツは、論理の流れを理解するために、ピタゴラスイッチの数と、そのピタゴラスイッチに明確な名前をつけてあげることです。

ふつう、この論理の変換点、つまり「ピタゴラスイッチ」は「概念」として明確な名称がありません。

したがって、なんとなくの流れ、感

覚で数学の問題を解くことになります。中学レベルの数学であれば、この「ピタゴラスイッチ」が2つくらいしかないので対処できるのですが、高校レベルになると、一気に10ほどの数になり、お手上げになるのです。

従来、言葉にならないから「概念」だといってごまかして表現していたものを、**すべて「ピタゴラスイッチ」として自分なりに命名し、意識的に覚えることで、一気に理数科目への苦手意識が払拭される**ようになります。

数学の勉強は論理の流れを覚えるだけでOK

リリック化はいらない

以降は、具体的な数学の解法になります。興味のない方は読み飛ばしていただいてかまいません。ここでお伝えしたいのは、歴史の年号を覚えるのも、数学の問題が解けるようになるのも、本質的に変わりなく、速聴勉強法が使えるということです。

次の例題を解いてみましょう。

Q. 二次方程式 $x^2 - 4 = 0$ の解を求めよ。

「ピタゴラスイッチ」を意識していない解き方

Q.　$x^2-4=0$ の解を求めよ。

xは2乗で定数はマイナス4か。
4は2×2で4だから、因数分解できるぞ。

$(x-2)(x+2)=0$

因数分解した数式＝0。
左右どちらかの項が0だから、これで解が出た。

$x-2=0$　または　$x+2=0$

まとめると、2つの解が出た。

$x=2, -2$

まず上記の、「ピタゴラスイッチの命名」についてまったく意識していない解答と解説をご覧ください。

おおよそ2つのステップがありますが、そのステップについて明確な名前がありません。

人間というのは名前のついていない抽象的な概念を覚えるのが難しい。つまり、なんとなく覚えることになり、数学はいつまでたっても得意になりません。

上記の計算の流れは、教科書や参考書に載っている計算式どおりに、あるいは普段の計算練習どおりに、無意識に解いている、いわばパッシブ・ラーニングによる解法です。

一方、自分で新しい「ピタゴラスイッチ」に対して名前をつけるというのがアクティブ・ラーニングです。

では、「ピタゴラスイッチ」の命名を意識した149ページの解法をご覧ください。「ピタゴラスイッチ」の箇所を、私は次のように命名して解いています。

「二次方程式の解は、放物線とx軸（y=0）の交点の座標と同値」→「xの放物線はy軸で線対称」→「A×B＝0は（A=0、またはB=0）、ベン図における『または』イメージ」

一般的な解法のステップ、変換点に対しても「ピタゴラスイッチ」として命名することは可能ですが、やはり、数学を論理として理解したうえで「ピタゴラスイッチ」を見つけだすべきです。

「ピタゴラスイッチ」を意識した解き方

Q.　二次方程式 $x^2-4=0$ の解を求めよ。

ピタゴラスイッチ①
「二次方程式の解は、放物線とx軸（y=0）の交点の座標と同値」

y=x　−4の描くグラフとx軸（y=0）の交点は右図の通り。

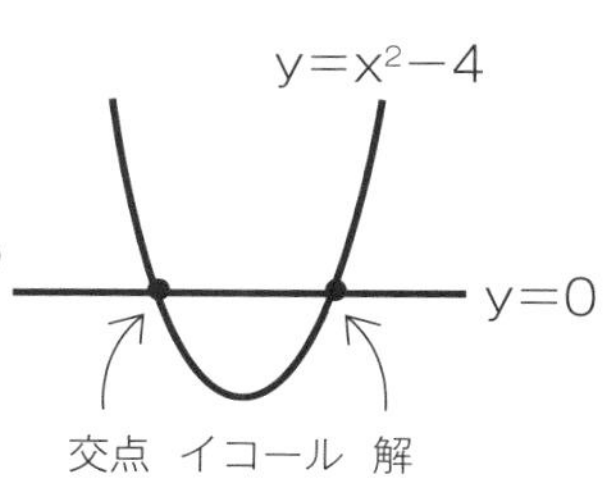

ピタゴラスイッチ②
「xの放物線はy軸で線対称」

$(x-2)(x+2)=0$

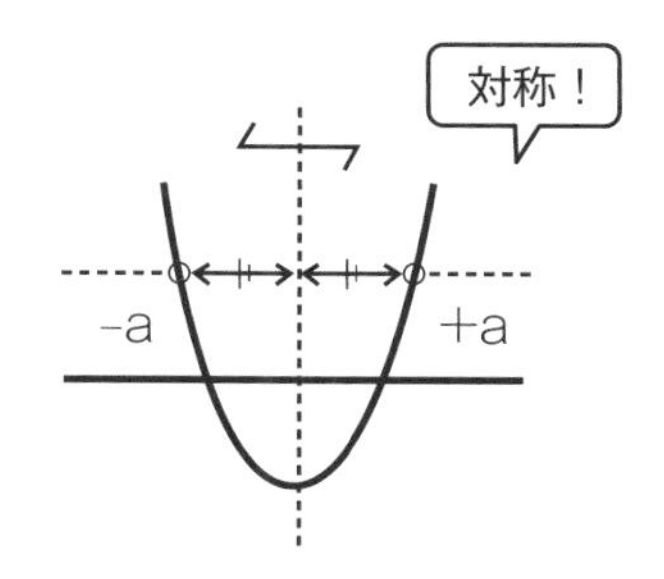

ピタゴラスイッチ③
「A×B=0は（A=0、またはB=0）、ベン図における『または』イメージ」

$x-2=0$　または　$x+2=0$

まとめると2つの解が出た。

$x=2,-2$

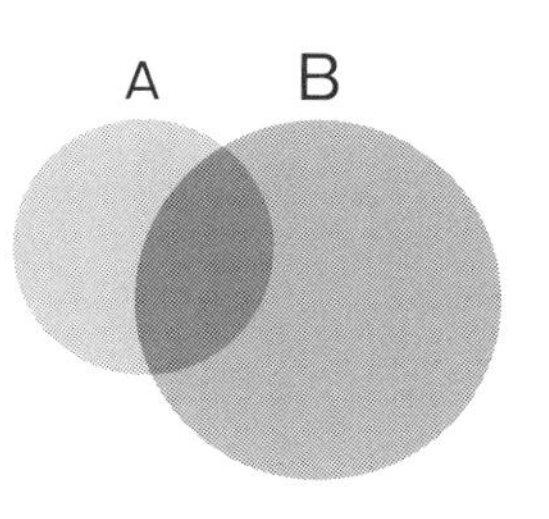

以上は、ある程度数学に馴れていない人にとってはチンプンカンプンかもしれませんが、2つの解法の例によって「ピタゴラスイッチ」を見つけ出し、それに命名することの重要性が理解できたでしょうか。

要は、この**「ピタゴラスイッチ」の流れをインフォグラフィックにまとめ、それをレコーディング、リスニングすれば、数学の問題を簡単に解けるようになる**ことをお伝えしたかったのです。

「ピタゴラスイッチ」の命名の仕方については、自分が納得していればいいので、立派な名前をつける必要はありません。文章っぽくてもかまいません。名が体をなすような名前であればＯＫです。

複数の「ピタゴラスイッチ」をまとめて命名しても構いません（今回の例題の場合、「2次方程式の因数分解」とまとめることができる）。ただ、ビギナーがいきなり複数の「ピタゴラスイッチ」をまとめてしまうと、理解できずに挫折します。

その挫折の繰り返しでどんどん数学が嫌いになっていくというのが、世界中で数学嫌いが多い理由です。

ピタゴラスイッチにリリックは必要ない

ここまで説明して、じゃあ「ピタゴラスイッチ」を記憶するためのリリックは必要なのかと疑問に思った方もいると思います。

リリックにして、メロディに乗せる必要はほぼありません。

命名した「ピタゴラスイッチ」を、論理の順番どおりにレコーディングし、聞けばいいのです。

数学の場合、例題を実際に指を動かして、論理を上から下に流すだけで、思い出す練習になるので、何度も解答しているうちに覚えてしまいます。

最初の大原則である、「導けるものは覚えない」がそのまま当てはまります。ほとんどが導けるので、覚えることは少ないのですが、なるべく、ノートにインフォグラフィックを書いて、全体像のどこに自分が使っている「ピタゴラスイッチ」が存在するのか、視覚的イメージがつくれるようにしておくのです。

理数科目において、「ピタゴラスイッチ」を覚える量は、数学が10だとすると、物理が4、化学が7くらいのイメージです。私が受験科目に選択しなかった生物については わかりません（医学部受験で必須科目ではなかったため）。

一方、理数科目においても、周期表や公式のような、暗記しなければならない要素もあります。そうしたものは、歴史と同様にリリック化して覚えます。

論理的な構造を覚えなければならないものと、暗記しなければならないものを明確に分けて、速聴勉強法を取り入れるようにしましょう。

Chapter 5

誰でもできるレコーディングの技術

恥ずかしいのは最初だけ

速聴勉強法のステップ3にあたるレコーディングの段階は、人や環境によっては高いハードルになりがちです。

音声メモができるスマホがあるといっても、自分の声を録音する機会は、そんなに多くないかもしれません。

したがって、レコーディングすることに拒否反応を示す人が一定数いることは予想しています。

また、都心の狭小住宅で、きょうだいと同じ勉強部屋だったりすると、余計にやりづらいはずです。しかも、吹き込む内容がバカバカしいリリックだったりすると、ハードルはさらに上がるでしょう。

しかし、家族が茶化してくるのは最初だけです。しばらくレコーディングをつづけたら、「またやってるなあ」くらいにしか思われなくなります。

本書を親やきょうだいに見せて、「この通りに録音するから、その間はなるべく静かにしてね」とでも言えば、気をつかってくれるはずです。

今、有名になっているユーチューバーも、最初は自撮りしていることに照れを感じていたはずですが、今はまったく気にしていないでしょう。

ＳＮＳ、ユーチューブ文化のおかげで自撮りすることに壁がなくなってきたのも、速聴勉強法にとっては追い風です。

生活音が記憶をサルベージするヒントに

独り暮らしならまだしも、家族と暮らしていると、レコーディングする際にその生活音が気になってしまうかもしれません。

しかし、少しくらい音が入っても気にしないでください。むしろ、**雑音までも記憶の手がかりにすることができる**ので、録音し直したりする必要はありません。

私の場合は、家族に「なるべく物音を立てないで」と注意したり、指向性マイク（特定の方向の音のみを拾うマイク）でなるべく周囲の音を拾わないようにしてはいますが、生活音が入ること自体は記憶の定着に関係がないことに気づきました。

むしろ生活音を気にしすぎて、録音することを躊躇し、時間を無駄にするほうがもったいないです。

ただ、言い間違いを録音してしまうと、その言い間違いを記憶してしまうので、これだけはレコーディングし直しです。

インフォグラフィックができたら、なる早でレコーディングする

レコーディングするタイミングは、インフォグラフィックをつくったその日か、その翌日がオススメです。この2日間がゴールデンタイムです。

それ以上時間がたってしまうと、内容を忘れてしまうことがあります。すると、もう一度理解し直す時間が必要になります。つまり、間を置きすぎると記憶効率が悪くなってしまうのです。

一方、レコーディングが日常になってくると、「丸1日使ってガッツリ吹き込もう」と考える人が出ることでしょう。

しかし、私の経験では5時間が限界です。1人でしゃべりつづけるのは、予想以上

に体力を使います。

私の場合、5時間以上やってしまうと、その後何も手につかなくなってしまうほど疲弊してしまいました。

毎日1〜2時間ずつにするなど、小分けにしてレコーディングするのがオススメです。

1ファイル、90秒ルール

すでにチャプター1でもお伝えしていますが、大事なことですので再度注意を喚起します。

それは、レコーディングした音声ファイルの時間。1項目につき、およそ90〜120秒で区切ってレコーディングするのが鉄則です。

1つのインフォグラフィックに対して、大量のファイル数になってもかまいません。

90〜120秒よりも長いと、リスニングのときに集中力が持たないし、繰り返す回数が減ってしまいます。逆にこれより短いと、ファイル数が多すぎて全体を把握するのに時間がかかりすぎてしまいます。

もちろん、きっちり90秒でなくても問題ありません。だいたい90～120秒のどこかに収めるくらいのイメージでレコーディングをしてください。

これだけは覚えておきたいレコーディングのコツ

速聴勉強法は、私が幾度となく試行錯誤を重ねて体系化したものですが、レコーディングの段階においても、さまざまな紆余曲折がありました。

みなさんも成功や失敗を重ねながら、自身に合うようにカスタマイズしていただければと思いますが、よりストレスなく挑戦していただきたいので、私なりのレコーディングする際のコツを3つほどお伝えします。

まず、記憶したいノートを黙読

どこからどこまで90秒で読むか、何をどの順番で録音するかを読みながら考えてください。

そして、原則としてノートにインフォグラフィックをまとめるときに、要素ごとに見出しをつけますが、つけ忘れがないかチェックをしてください。

そのうえでレコーディングを開始したら、まずその見出し語を、その後にリリックを吹き込みます。

見出し語を最初に入れておくと、リスニングの段階でぱっと要素を思い出すきっかけになります。

なるべく抑揚をつけてノリノリで吹き込む

リリックを吹き込むときは、幼稚園児に教えるつもりで身振り手振りをつけて話しましょう。

歌のお兄さん、あるいは人気ユーチューバーであるメンタリストのＤａｉＧｏさん、あるいはヒカキンさんになったつもりで、抑揚をつけて話します。たったこれだけの工夫で、速聴したときの頭への入り方がエグいです。

単調に読み続けると、レコーディング作業もつまらないし、聞いたときのインパクトも弱いので、最悪の場合は覚えられなくて挫折(ざせつ)します。

機材とマイク

機材によっても差があると思いますが、ボイスレコーダーの録音ボタンを押した直後の0・5秒くらいはレコーディングされていないことが多いようです。

ボイスレコーダーに対して直接録音するときは、30㎝くらい離して、リップノイズや息によるノイズが入らないようにしましょう。また、本体マイクと口との位置がずれると音量が不規則になりがちなので、できるだけ一定の距離を保つようにします。

ただし、外部マイクだとこうした工夫が必要ありません。固定されており、マイクスポンジに口が軽くつく程度の位置で録音すればいいからです。

レコーディングに必要な道具とは？

実際にレコーディングするときに必要な機材などについて説明します。

究極的には、スマホ1台あれば事足ります。

ただ、よりよい音声で、わかりやすくファイルを整理・保管したいのであれば、さまざまなデバイスを活用することをオススメします。

ボイスレコーダー

レコーディングとリスニングの両方に使えます。

選ぶポイントは3倍速で再生できるかどうか。安いものは2倍速までしかできないものもありますので、スペックをよく読んでから購入してください。私はオリンパスの「ボイストレック」を使ってします。

ボイスレコーダーを買うには初期投資が必要です。もし、それが壁でしたら、まずはスマホでやってみましょう。

スマホで録音し、3倍速で再生することは可能です。

アクティブマイク、卓上マイクスタンド、マイク用スポンジ

ボイスレコーダーに直接音声を吹き込んだり、付属のマイクを使ってもかまいませんが、ベストポジションで録音できないと、ノイズが入ったりします。たとえば、レコーディングするごとに、ボイスレコーダーのボタンをポチポチ押したり、息がかかってしまうと、それがノイズになります。

やはり指向性マイクとそれを支えるマイクスタンドがあったほうが、音声は安定しますし、両手が空くので楽です。

さらに、マイクにスポンジがついていれば、息がかかってもノイズになりません。長時間のレコーディングも快適にできます。安物でかまいません。

パソコン

Ｗｉｎｄｏｗｓでも ＭＡＣでもかまいません。

音声ファイルと画像ファイル（ノートのインフォグラフィックを撮影したもの）を整理するために重宝します。ファイル名を整えたり、フォルダの中を整理するなど、やはりこうした作業はパソコンが一番便利です。

また、3倍速ができないボイスレコーダーしか持っていないとしても、レコーディングした音声ファイルをパソコンに移し、再生スピードを変えることができる音声ファイル変換ソフトを使えば、3倍速に変換できます。音声ファイル変換ソフトは、フリーのものがたくさんありますので、「音声ファイル変換ソフト」で検索してみてください。

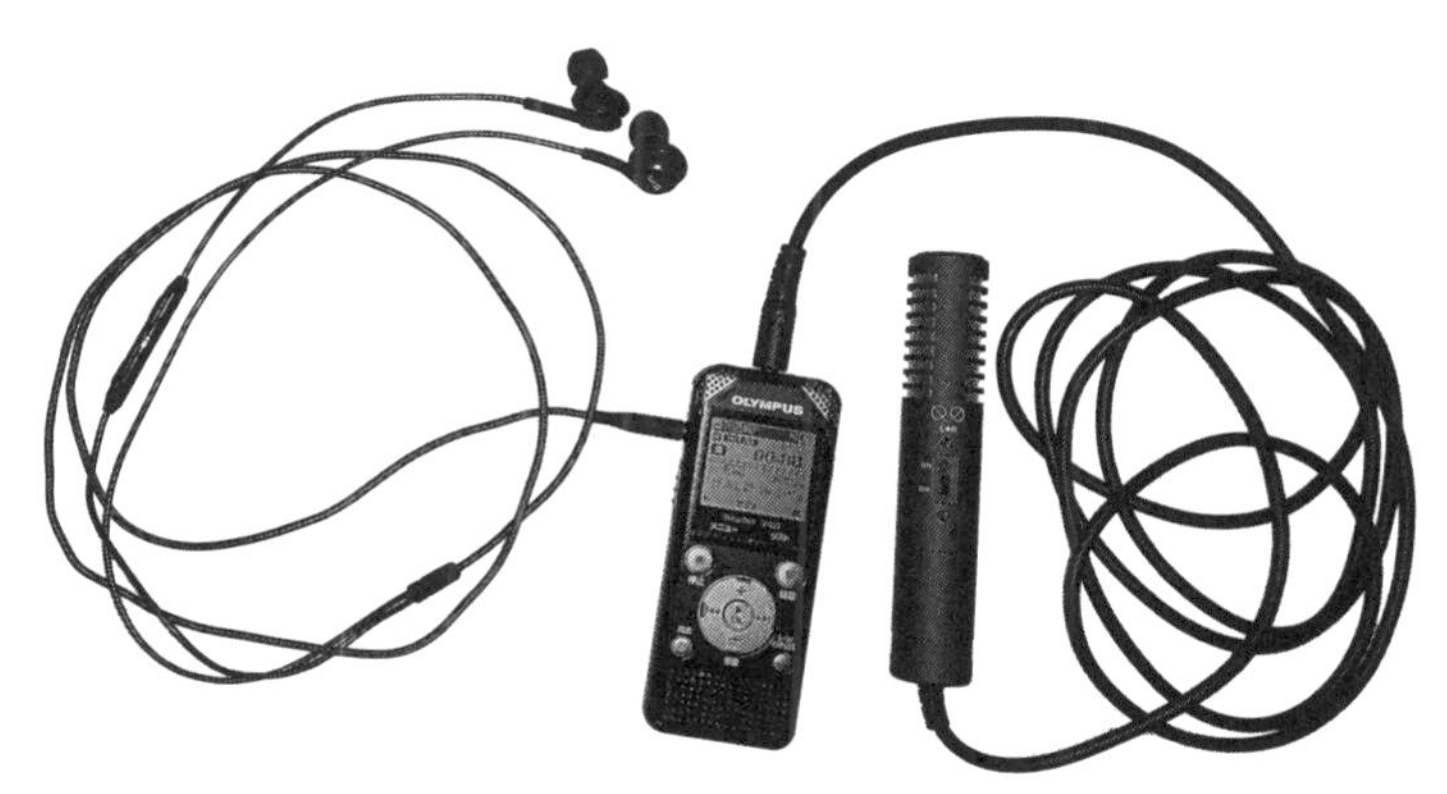

筆者が使用しているオリンパス社製のボイスレコーダー「ボイストレック」とカナル型イヤホン、そして外部マイク。金額にして2万5000円ほど。凝り性の筆者は、これに加えてマイクスタンドやカメラ、カメラ用の三脚を持っているが、スマホ1台あれば事足りる。

ハードディスクとクラウドサーバー

パソコンに大切なデータを保存するときは、1つではなく、必ず2つのハードディスクを使いましょう。私は過去に二度くらい、大切なデータを失ったことがあります。一生忘れられないほど、悔しい思い出です。

録音データは財産です。大した容量ではありません。一番手軽なのは、無料で使えるクラウドサーバーです。iCloudでもDropboxでもかまいません。

オススメはRAID機能（複数台のハードディスクを有した仕組み。複数台に同時に保存できる）のあるNAS（ネットワークを経由して複数のデバイスからアクセスできるハードディスク）です。

費用はかかりますが、データを失う可能性を限りなく低くし、かつパソコンでもスマホでも、タブレットでも、どのデバイスからでも最新のデータを共有することができるので便利です。

インフォグラフィックの撮影に必要なもの

必須ではありませんが、インフォグラフィックを撮影することを推奨します。ノートは枚数が増えると重くなるし、かさばります。しかし、画像データであれば簡単に持ち運びできるからです。

したがって、インフォグラフィックを撮影する際に必要な機材やコツについてもお伝えしましょう。

iPadなどのタブレットPC

なぜこれがあると便利なのかというと、時と場所を選ばずに高速に勉強できるからです。容量を気にせず、画像ファイルという形でノートを携帯できます。

図書館だろうが、家だろうが山奥だろうが、海岸だろうが、勉強できます。

私も息抜きに川原で勉強する際に使っています。1MB（メガバイト）の写真をさくさく表示できるｉＰａｄを使っているので、ストレスなく勉強できます。

また、インフォグラフィックの撮影自体もｉＰａｄのカメラが使えます。昨今のスマホのカメラの進化はすごい。

お手持ちのスマホのカメラがどの程度のスペックかわかりませんが、撮影はスマホのカメラで十分です。

一眼レフカメラ

撮影した写真にこだわりたい場合は一眼レフを使いましょう。

普通のデジカメで撮ると、鉛筆の発色が悪くて薄くて見づらい場合がありますが、一眼レフであれば、かなりきれいに写ります。

電気スタンド

光源が2つあると、ノートに影が写り込みません。したがって、電気スタンドが2台あるときれいに撮れます。

色はもちろん、昼白色。太陽光に近い色にしないと、白が赤っぽくなったりします。カメラ屋さんで教えてもらいました。

デジカメの三脚

大量に写真を撮っていると、腕と目が疲れます。

その点、三脚でカメラの位置を固定し、カメラではなくノートや教科書を移動させるという撮影スタイルにすると、かなり労力が軽減されます。ズームや焦点合わせの手間がないので、パシャパシャ撮れます。

自炊する（自力でつくる）という作業は、事務的な作業で創造性がありませんが、その億劫さを少し軽減してくれます。

iPad最強説

長々とデバイスの紹介をしてきましたが、一定程度の水準で満足できるのであれば、iPadだけで十分です。

これさえあれば、レコーディング、撮影、画像の保存、画像のブラウズ、ファイル整理、速聴……といったことを、1台ですべてまかなえます。

パソコンも必要ありません。iPad proである必要はないし、容量も少なくて問題なし。一番安いiPadなら数万円で手に入ります。

また、アップルペンがあれば、アイデアを直接書き込むことができます。**最強の勉強デバイス**ですね。

レコーディングの際、マイク付きのイヤホンを差し込んで、iPadにデフォルトで入っているアプリ「ボイスメモ」を使えば、音声をきれいに収録できます。

そして、作成した音声ファイルをエクスポートする先は、「Documents by readdle」という無料ファイル管理アプリがオススメです。

このアプリの優秀なところは、音声ファイルを2倍速で再生できることと（3倍速にできれば言うことはないのですが）、撮った写真を整理できることです。撮影もこのアプリ内の機能でできます。斜めに撮影してしまっても、すぐに補正できる優れものです。アプリ内で写真の管理と、速聴の両方ができるので、かなり実用的です（この情報は、私のブログ読者のれもんさんから教えていただきました。この場を借りてお礼申し上げます）。

Chapter 6

速聴でエグいほど情報をインプットする技術

リスニング段階のスキル

リスニングの段階のスキルは多くはありません。

①まず、自分でつくったインフォグラフィック（書き込んだ資料集や英単語帳でもOK）をしっかり読み込みます。

②次にレコーディングした音声を速聴しながら、インフォグラフィックを目で追います。

③さらに、インフォグラフィックに焦点を合わせず、薄目で眺めながら速聴します。音声から言葉が書かれた場所、関連する図やイラストの形、色を感じることができます。この時点では、インフォグラフィックを完全に遮断したうえでイメージするのは難しいでしょう。あえて、見えるか見えないかのギリギリ状態からヒントを拾い、書かれている内容を探すことで、「思い出す練習」をすることになります。極端に解像度の低い写真から、何が写っているかを類推するような感じです。

もちろん、なかなか思い出せないときは、もう一度インフォグラフィックを見てみましょう。
④そしておおよそイメージできるようになったら、インフォグラフィックを閉じ、速聴した内容からそのイメージを脳内に浮かび上がらせます。
⑤言葉から完全にイメージできるようになったら終了です。
プロセスを端的にまとめると次のようになります。

①インフォグラフィックを読む。
②速聴しながら、インフォグラフィックの内容を目で追う。
③速聴しながら、ぼんやりと薄目でインフォグラフィックを眺めて、その内容をイメージする。
④インフォグラフィックを閉じ、その内容を脳内でイメージしながら、速聴する。
⑤④を繰り返して、完全にインフォグラフィックの内容をイメージできるようになったら終了。

速聴しながらぼんやり見るとは？

もし、何度聞いても明確なイメージが出てこないのであれば、それはインフォグラフィックをつくる段階で理解が足りていなかった証拠です。再度インフォグラフィックをつくり直し、レコーディングしたほうがいいでしょう。

この方法は脳が強くストレスを感じます。強い負荷で筋肉トレーニングしているようなもの。それだけ、集中力がいるし、疲れます。

脳はストレスに弱い。ストレスを避けようと、活動を鈍らせ、寝ようとする。

だから、リスニングのときにベッドに横になって目をつむってやると、睡眠学習になってしまうので注意してください。

5分間に10回も想起する練習ができる

本書では、インフォグラフィックの内容をおよそ90秒でレコーディングすることを推奨しています。単純計算で、1ファイルを聞き終えるのに3倍速だとたったの30秒です。5分間あれば、10回も復習できるわけです。そして、10回もインフォグラフィックの内容を思い出そうとすれば、そのイメージは固まってきます。

ざっくり、1ファイルに3～5分かけるとして、1時間に覚えられるのは、およそ12～20ファイルとなります。かなりの記憶効率です。

脳内の視覚記憶を読むだけ

本当にこんなことで記憶できるのか、と疑っている人もいるでしょうが、百聞は一見に如かず、ぜひ挑戦してみてください。そして、どんどん知識が蓄積されていく感覚に驚いてください。

印刷された無機質な文字が並ぶ教科書を丸暗記することは難しいですが、自分の書いたノートは本当に想起しやすいのです。

そして、簡単なイラストや図を入れるだけで、つまりインフォグラフィックにするだけで、文字だけのノートよりも、はるかに印象に残りやすいのです。

「確か、ノートの○○あたりに書いてあったよな」という印象だけでも、たいていのことは思い出せます。

一般にテスト直前でつめこんだ知識は曖昧になりがちですが、直前でも、この速聴勉強法を使えば、テスト中、記憶の引き出しから視覚記憶から簡単に取り出せます。

このスピードは半端ありません。

「視覚情報」を「脳内に想起」して、その内容を「読めば」いいからです。

口を動かしながら聞く　シャドーイング

自分をとことん追い詰め、強制的にリスニングに集中し、記憶効率を上げたいときは、口を動かしてください。

シャドーイング、つまりオーム返しをするのです。

はっきりと声に出す必要はありませんが、ぶつぶつつぶやくので、個室でやってください。ただ、座ったままだと集中力が切れたり、眠くなったりするので、ぐるぐる歩いて脳を活性化させるのがコツです。

シャドーイングは英語の勉強に超有効

シャドーイングは特に英語の学習に有効です。単語帳などの参考書に付属で付いてくる音源を聞きながら、シャドーイングします。リスニング能力が上がるだけでなく、発音も良くなります。これも、馴れてくれば3倍速でできます（これ以上だと、私の場合、口の動きが追いつきませんでした）。

モノマネ芸人が声や抑揚、口癖まで完コピするように、本に付属されている音声CDをシャドーイングしましょう。

私は高校1年生のときから3年間、寝る前に30分、Z会から出ている『速読英単語』をひたすら2倍速でシャドーイングしまくりました。ここまですれば、誰だってたいていの内容を覚えられます。

高校の英単語テスト大会では常にトップ3に入り、クラスメイトからは驚異的な記憶力だと恐れられていました。もちろん、誰にも速聴してシャドーイングしてるなんてネタバラシはしませんでした。英語の偏差値は70以上をキープし続けました。

じつは、教科書、英単語帳、資料集に書き込むという簡易的なインフォグラフィックと付属のＣＤを利用して、前述のように英語に関しては速聴勉強法を高校生時代からやっていました。

ただし、当時はこの勉強法が他の科目でも応用できるとはつゆとも思っておらず、「まえがき」に記したとおり、そうしたポテンシャルに気づくまでに苦渋を味わい尽くすことになったのです……。

カナル型のイヤホンを使うとより集中できる

速聴勉強法のときに使うイヤホンはどんなものがいいのか、迷う人もいるはずです。

私はＳｈｕｒｅ製のカナル型（密閉性・遮音性が高く、細かな音を聞き取れるのが特徴）イヤホンを使っています。イヤチップが特殊で電車に乗っていても音量を上げる必要がないくらい、騒がしい場所でも集中してリスニングできます。

カナル型だと耳栓しているのと同じでまわりの音が聞こえなくなります。電車、カフェでの勉強にはとても重宝します。

また、寝る前に使うのは、アップルのカナル型イヤホン。ベッドで寝る前に聞くときはこれが一番。すっぽり耳に入るので、寝返りしても耳に当たりません。

速聴勉強法をする人にとって、ハッキリ、くっきりした音で聞くのは大切なことです。

改めてノートの意味を考える

一番恐ろしいのは、覚えた気になること

これは私が身を持って経験したことですが、何度もリスニングして「もう覚えた」と思っていても、テスト本番でノートのイメージがまったくわかないということがありました。

そのような場合に使っていたノートには特徴があります。

それは、覚えなければならない要素が羅列してあるだけのノートです。

これがとにかく覚えにくい。これがパッシブ・ラーニング（受動的な学習）の特徴です。

覚えるべき内容が無機質であるならば、無理やり有機的に変換するしかありません。パッシブ・ラーニングからアクティブ・ラーニングへの転換です。それがすでに解説している「理解段階のスキル」です。

無機質なものほど、イメージしようとしても、その部分だけ「ぼやーっ」としてしまいます。

STOP！　うろ覚え！　DO！　リリックとお絵かき！

どんなにくだらなくて、バカバカしい連想、リリックだったとしても、それをアクティブに絵として書いてしまえば、8割方思い出せます。

STOP！　恥ずかしがり屋！　DO！　恥ずかしいノート！

確かに、アクティブ・ラーニングで書いたことやリリックは恥ずかしくて、他人に覗（のぞ）かれたら隠してしまいますが、強力に記憶できる事実はプライスレスです。

そもそも、人に見られて恥ずかしくないノートなんて書く必要なんてありません。パッシブ・ラーニングのノートは無個性で、無表情。ただの写経、コピペです。

ノートをきれいに書かなければならないという小学校から培ってきた固定観念を捨ててください。

1日に速聴は8時間以上できる　精神と時の部屋

速聴勉強法には人並み外れた集中力が必要だと思いますか？　そんなことはありません。普通に勉強するよりも、集中力が持続します。

休憩を取らずに5時間ぶっつづけて勉強するのはほぼ不可能です。絶対にどこかで集中力が切れます。トイレにも行きたくなりますし、腹も減ります。眠くなるし、パソコンやゲームに逃げたくなります。

しかし、速聴勉強法なら可能です。実際に私は何度もやっています。さすがに終わったあとはヘトヘトになりましたが、1時間くらい休憩すると回復しました。

休憩もなく、5時間という長さの中、3倍速で聞けるわけです。つまり、時間あたりの濃度は、他の勉強法と比較して半端ありません。

私はこの現象を、アニメ「ドラゴンボールZ」で有名な**「精神と時の部屋」（1日で**

1年分の修行ができる異空間）に入る」と表現します。超サイヤ人のように、一気にライバルとの差をつけることができるのです。

もちろん、ぶっつづけで5時間も速聴する必要はありません。休憩を挟みながらやれば、無理なく8時間くらいは速聴できます。

勉強は机から海辺の時代へ　受験戦争は終わる

速聴勉強法が最大の効果を上げるのは、机の前ではなく、「外出しているとき」です。かなり集中しないと音声を聞き取ることができないので、常に眠気と集中力の低下と戦わなければなりません。したがって、家の机でやっていると、こいつらに負けそうになるのです。

眠気と集中力の低下に勝つ最も簡単な方法は、外に出ることです。

ノートとボイスレコーダーとイヤホンだけがあればいいので、場所は問いません。机である必要がないのです。

自分のお気に入りの場所で勉強してください。

速聴が終わるまで帰れま10！
速聴がメチャクチャはかどる場所とは!?

1位 カフェ、ファミレス（その中でも順位をつけると、1位：コメダ珈琲、2位：ガスト、3位：ジョナサン）

2位 図書館（1位：大学の図書館、2位：放送大学の図書館、3位：国会図書館）

3位 湖畔（1位：摩周湖、2位：山中湖、3位：十和田湖）

4位 寝る前の30分、ベッドの中（1位：ウォーターベッド、2位：パラマウントベッド、3位：病院のベッド）

5位 トイレ

6位 バスタブの中

7位 勉強机

8位 リビングのテーブル

9位 川沿い（1位：鴨川、2位：荒川、3位：四万十川）

10位 海岸（1位：名護市、2位：糸満市　3位：渡嘉敷島）

禁忌 寝る前30分以外のベッド、自転車の走行中、心地よいソファ

＊完全に筆者の独断と私見です。

コメダ珈琲店でも、スタバでも、ファミレスでも、湖畔でも、河原でも、海岸でも、そこが一瞬で勉強空間になります（そういう意味で、私は沖縄に住んでいる学生がうらやましい。ビーチパラソルとリクライニグチェアで1年中勉強ができる）。

机の前で、カリカリしながら勉強するよりも、はるかに精神的にゆとりを持って、記憶活動ができます。

この勉強法が浸透すれば、受験を戦争と表現する人はいなくなると思われます。

ただし、家族からの評価は下がるかもしれません。

もちろん、頭痛がするほど思考をフル回転させているのですが、傍から見れば音楽を聞いてぼーっとしているようにしか見えません。

ただ、受験のライバルたちを、いい意味で騙せるでしょう。「あいつは音楽ばっかり聞いて、全然勉強してないな」と。

速聴勉強法をする人は、湖を泳ぐアヒルや白鳥にたとえられるかもしれません。見た目は優雅でも、水かきで必死にものすごい勢いで水をかいているのです。

みんなが、ボイスレコーダーで勉強してるとライバルが増えてしまいます。受験生全員の頭が良くなってしまうので、過当競争となり、医学部受験はさらに厳しくなることでしょう。

ただ、親友にはススメてあげてください。親友と一緒にやっていれば、チャプター5で解説したレコーディングの恥ずかしさが軽くなるからです。

3倍速の記憶のメンテナンス

いつの間にか覚えてしまった内容を完全に忘れる前に、再度聞いて思い出すことが大切です。また、95%覚えたら、覚えられなかった残りの5%だけを復習すると、より完璧になります。

最初の10分で覚えたことを、次にいつ復習するべきか、それを何セットやるべきか、ということに明確な答えはありません。試験前に時間があるなら、覚えられるまでとしかいいようがありません。

理解段階において、スキルを使って明確にイメージできるようになっていれば、記憶の定着率は半端ないはずです。

理解段階において、どれだけ強くスキルを使うべきかは、個人差が大きいのです。たとえば、織田信長や明智光秀を知らない人にとっては、これらも、強制的に連想しなければなりません。

また、どうしても覚えられないものが出てくるという問題もあります。確率論的に、5%くらいは覚えにくいリリックが出てくるでしょう。その覚えられなかった5%だけを抽出して、レコーディングし直し、それを速聴するという方法もあります。新しいアイデアでリリックをつくり直したり、追加することも大切です。

そうすると、その覚えにくい5%を95%まで覚えられます。残りの5%は無視していいのです。ここまでやれば試験には合格できます。

鉄緑会という東大専門の中高一貫校に通う学生のための塾があります。この塾の強みは中学1年生から東京大学合格のためのスタートを切ることです。6年間を使って、大学受験対策をし続ける。

最初の4年ですべてのカリキュラムを一通り勉強し終えて、残りの2年間を記憶のメンテナンス段階に使ってます。こういう塾に通っている生徒に対して、普通の高校生は、高校3年生の夏に習う範囲を勉強し終えて、記憶のメンテナンス段階に入れるのは、高校3年生の半年間だけ。

記憶のメンテナンス段階が長ければ長いほど、受験時の記憶の保持率が高くなります。人間は必ず忘れるようにできているので、忘れないようにメンテナンスし続ければいい。

2年間メンテナンスし続けている人と、半年の人で、合格のしやすさはまったく違うんです。

もちろん、2年間もメンテナンスできる人はそういません。

しかし、メンテナス期間が高校3年生の半年間あるとしましょう。**速聴勉強法で3倍速で聞けば、1年半分のメンテナンスができる**ことになります。その間、聞いて聞いて聞きまくれば、記憶は確実にあなたの脳に定着することでしょう。

あとがき どんな試験も怖くない！

ブログをはじめてからはや10年以上の歳月が流れ、とうとう念願だった書籍にまとめることができました。

路上ライブからはじめて、小さなライブハウスで10年間活動を続けていたら、大手レコード会社のスカウトマンの目にとまり、メジャーデビューすることになった遅咲きミュージシャンの心境は、こんな感じかもしれません（スガシカオさん的な）。

ここまで読まれて、まだ疑っている読者のみなさまへ。

この勉強法であればどんな学問も最適に整理され、いつでも頭の引き出しから記憶を引っ張り出すことができます。

騙されたと思って、1回、試しにアクティブ・ラーニング（要素の抽出、語呂合わせや連想ゲームなどなどのスキルの実践）をし、5枚くらいのインフォグラフィックをつくり、ボイスレコーダーを使って挑戦してみてください。

自分の中に眠っていた「視覚×聴覚記憶能力」と、クリエイティブ**に学ぶことの楽しさを発見し、「今の自分なら、どんな試験だって怖くない」と思えるようになるはず**です。

私が紹介した方法が少しでもみなさんの役に立ち、1人でも多くの人が夢を実現されることを祈念しております。

最後に、本書の監修を引き受けていただいた小松正史先生に心からの深い感謝を捧げます。どこの馬の骨ともわからない著者の本の監修をしていただき、ありがとうございました。

ご期待にこたえられるよう、今後も精進してまいります。

2020年7月

黒澤 孟司

◆主要参考資料

池谷裕二『記憶力を強くする』講談社、2001年
池谷裕二、糸井重里『海馬』新潮文庫、2005年
板野博行『古文単語ゴロゴ手帖』スタディカンパニー、2013年
大西泰斗『英文法をこわす』NHK出版新書、2020年
大西泰斗、ポール・マクベイ『ネイティブスピーカーの英文法』研究社出版、1995年
亀田和久『大学入試 ここで差がつく！ゴロ合わせで覚える化学130』KADOKAWA／中経出版、2014年
為近和彦『為近の物理基礎&物理 合格へ導く解法の発想とルール（力学・電磁気）【パワーアップ版】』学研プラス、2014年
デズモンド・モリス（著）、日高敏隆（訳）『ヴィジュアル版 裸のサル』河出書房新社、1988年
トニー・ブザン（著）、佐藤哲・田中美樹（訳）『トニー・ブザン 頭がよくなる本』東京図書、2012年
西岡康夫『西岡の数学ブリーフィングⅠ・A・Ⅱ・B』代々木ライブラリー、2005年

メンタリストDaiGo ユーチューブチャンネル（以下、2020年6月29日参照）
「本当に効く勉強法 アクティブラーニング入門」〈https://www.youtube.com/watch?v=RNNLJGbcfU0&feature=youtu.be〉
「記憶をガッツリ定着させる勉強後にすべきことまとめ」〈https://www.youtube.com/watch?v=1ZmSvTRgOik&feature=youtu.be〉
「科学が認める最強の練習・勉強法TOP5」〈https://www.youtube.com/watch?v=c123ChB2Y9E&feature=youtu.be〉
「科学的に証明されている効率のいい勉強法10選」〈https://www.youtube.com/watch?v=wxZ2U24U6c0&feature=youtu.be〉
「記憶の残り方が段違い【40秒勉強法】とは」〈https://www.youtube.com/watch?v=PEn_Agkvr5I&feature=youtu.be〉
「新しいことを覚えやすくする【ハーバード式記憶術】」〈https://www.youtube.com/watch?v=CG_HDGkTz58&feature=youtu.be〉
「みんなやりがちな科学的に否定された勉強法の罠」〈https://www.youtube.com/watch?v=uCrR2AFWCMs&feature=youtu.be〉

著者――**黒澤孟司**（くろさわたけし）

医師。現在、専門医として病院に勤務しながら、大学病院の教員を目指している。高校時代、英語の成績は常にトップクラスだったが、数学は偏差値40と極端に低かった。それゆえ、医学部受験ではなかなか結果が出せず、多浪を経験。しかし、英語学習に用いていた速聴勉強法を数学に応用してから成績が急上昇し、晴れて国立大学医学部に合格する。

辛酸を嘗め続けた浪人生時代、経済格差がそのまま教育格差につながる社会状況（有名な塾が教える知識や情報はお金を持っている人しか得られない）に疑問を持つ。それゆえに学生時代から、過去の自分に伝えるがごとく、勉強に悩む人たちに向けて、独自の勉強法をブログで無料公開してきた。斬新な勉強法であったが、それを試した読者からの医学部をはじめとした受験合格の報告が多数寄せられるように。本書は、このブログの膨大な情報から、コアとなる部分を抽出し、体系的にまとめた。

聞いたら忘れない勉強法ブログ　http://wikihigale.blog79.fc2.com/

監修――**小松正史**（こまつまさふみ）

1971年、京都府生まれ。2020年現在、京都精華大学教授。音響心理学者と環境音楽家の両側面をもつ。音楽だけではない音を対象に、教育分野、学問分野（音が人に及ぼす心理効果の研究）、デザイン分野（公共空間の音デザインを日本で50箇所程度）を実践。著書にベストセラーシリーズ『耳トレ!』（ヤマハミュージックメディア）など。

小松正史（公式）ウェブサイト　http://www.nekomatsu.net/

聞いたら忘れない勉強法

2020年8月7日　初版発行

著　者　黒澤孟司
監修者　小松正史
発行者　太田　宏
発行所　フォレスト出版株式会社
〒162-0824
東京都新宿区揚場町2-18白宝ビル5F
電　話　03-5229-5750（営業）
　　　　03-5229-5757（編集）
URL　http://www.forestpub.co.jp
印刷・製本　中央精版印刷株式会社

ISBN978-4-86680-093-6　Printed in Japan